ピエルドメニコ・バッカラリオ／フェデリーコ・タッディア 著
浅野典夫 日本版監修　森敦子 訳　ミレッラ・マリアーニ 絵
高等学校教諭・「世界史講義録」管理人

いざ！探Q

だれが歴史を書いてるの？

歴史をめぐる15の疑問

太郎次郎社エディタス

もくじ

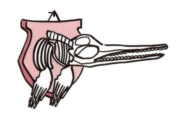

1 歴史はどこからはじまるの？ …… 5

2 歴史上、重要な出来事って、どれ？ …… 15

3 紀元1年のまえは何年？ …… 23

4 昔のことを、だれがいまに伝えたの？ …… 29

5 歴史を研究するのはどんな人たち？ …… 41

6 何を見つけたら、発見なの？ …… 51

7 歴史は男の人がつくったの？ …… 59

8 歴史って、なんでこんなにつまらないの？ …… 71

9 なぜ、戦争の勉強をしなくちゃいけないの？ …… 79

10 地図から何がわかるの？ …… 89

11 「歴史が変わる」って、どういうこと？ …… 99

12 どんな出来事も歴史になるの？ …… 105

13 勝者が歴史をつくるって、ほんとう？ …… 111

14 権力（けんりょく）って、なに？ …… 121

15 歴史を未来にのこす方法？ …… 131

じゃあ、またね …… 139

日本版監修者（にほんばんかんしゅうしゃ）あとがき …… 141

1 歴史はどこからはじまるの？

　歴史のはじまりは、とある学者の説によると……（バタン！）
　え、もう寝ちゃったの？
　「歴史」ってことばを聞いただけで、すぐに眠くなっちゃったね。頭は机にゴン。耳はピタッとふさがって、胃はムカムカしはじめる。
　ほこりの山に埋もれたみたいだろ。パラパラとくずれおちてくる過去の遺物。ちっとも興味がわかない人物の名前。古ぼけた地図。もはや存在しない世界の、中途半端なかけら。
　夢中になれるわけないか。
　きみのまわりには、もっとおもしろいことがたくさんあるもんね。気になる新作映画がもうすぐ公開されるし、プレステだってやりたいだろうし。
　そうだなあ、プレステだったら、2017年に女の子のゲーマーの

数が男の子を超えたって聞いたら、興味がわく？　それとも、ピカチュウは海外版アニメでも、日本版の声がそのまま使われている話とか。あと、映画『ワンダーウーマン』の原作者、ウィリアム・モールトン・マーストンは、ふたりの奥さんと暮らしていたって話は？

　そう、こんな話をしたのは、「物語」がないものはひとつも存在しないって、きみに伝えたかったから。いまや古典的名作となった映画『バック・トゥ・ザ・フューチャー』は知ってる？　この映画を観れば、わかるはずだよ。両親からはじまる物語がなければ、きみだって存在しないんだ。

　だから、心して聞くように。

　これからこの本では、歴史上のエピソードのほんの一部を紹介していく。でも、じっさいには、それはものすごくたくさんのほかの物語といっしょになって「歴史」をつくっている。

　人類の歴史は、だれかの人生、つまり、ひとりひとりの物語でできているんだ。

歴史のスタート地点は、どこ？

　何かが起きたあと、不思議に思うことってあるよね。そんなとき、「なぜこうなった？」って考えることが多いんじゃないかな。それからきみは、答えにたどり着くための手がかりを探しはじめる。

　答えにたどり着くには、目の前にあるものすべてを読みとき、解釈しなくちゃならない。そうやって描きだされた絵の全体像が、**歴史**であり、**物語**なんだ。

　たとえば、あるサッカーの試合を物語にするとしたら、こんなふ

うに考える。

　途中出場で試合に出してもらえなければ、トクテン選手はシュートを決められなかった。でも、クタクタビッチ選手が疲れていることに監督が気づかなかったら、選手交代はなかったはずだ。クタクタビッチが疲れていたのは、ひと晩中ポケモンGo！をやりながら「ピカチュウのピカって、なんだろう」って考えていたから（結局わからなかったけど）……、とかなんとか。

> **歴史と物語**
>
> イタリア語では、「歴史」も「物語」もstoriaという同じ単語で表現する。このstoriaは、ギリシア語のistoria「調査」ということばに由来するんだよ。

　物語を掘りさげようと思ったら、方法はひとつしかない。時間をさかのぼるんだ。つまり、歴史のスタート地点は過去じゃない。今日のトクテン選手のゴールがスタートだ。そこに疑問をぶつけながら、時間をさかのぼっていく。「あんな超絶ゴール、どうしてできたの？」っていうふうに。

　このたとえ話からは、もうひとつのことがわかる。

　勝ったチームにとって、この試合は「よい物語」だ。でも、負けた側にとっては「イヤな物語」だ。物語の解釈や読み方を変えて、つくりかえちゃうかもれない。対立や戦争、戦いの物語では、そういうことがよく起きる。とはいえ、みんなが納得できる物語をつくるのは不可能だ。ましてや、真実だけを語るなんてもっと難しい。

　ぼくらはなるべく、もっともらしくて、ほかの人の物語とも矛盾しない説明を探さなくちゃならない。

いちばんはじめの物語

　人類初の物語は、パチパチと燃える火のそばで生まれたにちがいない。昔の出来事やこれから起こりそうなことを話しているうちに、現実と想像が入りまじっていったんだろう。物語の誕生を可能にしたのは、きっと火だ。人類は火を使って、体を温めたり、料理をしたり、夜の闇を照らしたり、武器をつくったりできるようになったんだから。

　じっさいには、人類のつくったいちばんはじめの物語がどんなものかはわからない。恋の話だったかもしれないし、狩りの話だったかもしれない。

　成功した人の話、失敗した人の話。どっちも気になるよね。
　物語の集まりである歴史は、いまを生きる人びとに、自分たちが過去の出来事とどう結びついているのかを教えてくれる。決定的な瞬間だけじゃなく、人類のさまざまな記憶も見せてくれる（さまざまなのは、記憶がひとりひとりのものだからだ）。そして人びとが見たものや、したこと、発見したもの、なぜそうなったかについて、根拠のあるイメージをくれる。

夜のもの思い

　ぼくらは日中、実用的なことを話している。暮らしに必要な情報やお金のこととか。でも、日が暮れると、想像力や感情が豊かになって、物語をつむぎはじめる。

　このことは、アメリカのユタ州の研究者たちが、アフリカのナミビアに住む集団を調査したときに発見した。

　ひょっとして、きみにも思いあたるフシがあるんじゃない？

歴史学者が疑問に思って調べたときに、答えをくれるもの。それらをすべて「史料」という。

　史料には、文書や日誌もあれば、絵画や建物や美術品、橋や道路もある。壁の落書きだって史料だよ。ポンペイやベルリンにある有名な壁を想像すれば、わかるだろう。作家のオスカー・ワイルドが入っていた牢屋の壁には、上のほうに格言が彫りのこしてあるかもしれない。

　史料を関連づけることで、歴史は過去の出来事を説明するものになり、いまに活かせるようになる。もちろん、ぜんぶの史料を同じように読み、解釈していいわけじゃない。書かれている出来事や日付、人名や場所が信頼できるなら、そのまま活用してかまわない。一方で、なかには古代ギリシア・ローマの神話や伝説のように、解釈が必要なものもある。

　ギリシア神話のプロメテウスの話を知ってるかい？　プロメテウスは神々だけのものだった天上の火を盗んで人間に与え、そのせいで罰せられた。きみはまさか、プロメテウスが実在し、神々の住みかを見つけて侵入して火種を盗み、そのせいで罰を受けたとは思わないだろう。

10

きっとこう考えるはずだ。大昔、人間のだれかが火を発見し、火が強力で危険なことや、のちの時代に影響を与えることに気づいたんだろうな、って。

きみの物語（ストーリー）と歴史（ヒストリー）

歴史はみんなのものであり、きみのものでもある。なぜならきみも、みんなと同じように、歴史をつくる一員だからだ。歴史はモザイク画のようなもの。そこには、これから生涯をかけて探すことになるきみのルーツも散らばっている。だからSNSで公開している「ストーリーズ」は、物語（ストーリー）であると同時に、きみの歴史（ヒストリー）なんだ。

きみはきみだけじゃなく、両親の生きた証であり、そのまた両親や、遠くに住むおじさん、おばさん、いとこたちを記憶する存在でもある。こうした人びとの生きた証をひとつに集めた場所がある。「家系図」といって、ご先祖さまを**世代**ごとに図にしたものだ。

家系図をつくったことがなくても、この本を読んだら書いてみたくなるはずだよ。きみがいる現在からスタートして、過去にさかのぼりながら考えていく。ぼくはだれの子ども？　ぼくの両親はだれの子ども？　そのまたさきのおじいちゃんやおばあちゃんは？……って。

> **世代**
>
> 近い年に生まれた集団を指すことばで、「ジェネレーション」ともいう。「ジェネレーション」は、ラテン語の「生みだす」という動詞から生まれた。だいたい25年でひと世代と数えられ、それに名前がつくこともある。1985年から2000年までに生まれた世代は「ミレニアル世代」とよばれ、そのあとは「Z世代」という。

1　歴史はどこからはじまるの？

家系図　バブション家の物語

ピエル・ピエール（5世代上のおじいちゃん／1810〜1880年）
アンジェリーク（その妻／1834〜1900年）
パリでブーランジェリー（パン屋）を創業

ミケリーノ（ボナンノの兄／1864〜1882年）
勇猛果敢なベロシペード（前輪の大きな昔の自転車）のテストライダー

ボナンノ（ひいひいおじいちゃん／1866〜1916年）
イヴリン（その妻／1874〜1944年）
兄の死後、ベロシペードのタイヤをつくりはじめる

トゥールーズ（ボナンノの弟／1870〜1920年）
偉大な画家

ジャン・ピエール（ひいおじいちゃん／1900〜1960年）
ヴィオラ（ひいおばあちゃん／1920〜1980年）
パン屋のとなりに小さな画廊を開く

ブランシュ（おじいちゃんの姉／1945〜1995年）
アルノー・ピケ（その夫／1941〜1992年）
パリ社交界の人気者。夫はふつう

ローズ（おじいちゃんの姉／1950年〜）
ティガナ・プランシェ（その夫／1939年〜）
テニスの天才、プランシェ・ツインズの祖父母

エレクトリック・リュック
（ブランシュの息子／1974年〜）
エクスペリメンタルなエレクトロニック・ミュージックのDJプロデューサー

すると、家族のひとりひとりに歴史があることがわかるだろう。いろいろな選択をしてきたことや、住む場所を変えたこと。幸運に恵まれたことや、不運に見舞われたこと。思いきった決断や、隠れた才能も明らかになるかもしれない。もしかしたら、謎のおじさんの存在が発覚するかもしれないよ。ひいひいおばあちゃんの弟で、19世紀末に金塊を探しに北アメリカのクロンダイクへ旅立っていった人物だ。そのおじさんが、もし金塊を見つけていたらどうする？

っていうか、それより、「19世紀末」って、どういう意味？

具体的には、何が終わるころ？

ものごとがいつはじまって、いつ終わるかを決めているのは、いったいだれ？

よし、じゃあ、これから気になる出来事をぜんぶ順番に並べてみよう。

トゥールーズ（おじいちゃん／1953年〜）
マリ・ムロン（おばあちゃん／1958年〜）
1986年、パン屋がパリの歴史的名店としてメダルを受賞

ジャン・ピエール（お父さん／1976年〜）
エマニュエル・バゲット（お母さん／1980年〜）

ジョアン
（お姉ちゃん／
2005年〜）

リュック
（ぼく／2007年〜）
スフィンクスを抱いた男の子

1 歴史はどこからはじまるの？　13

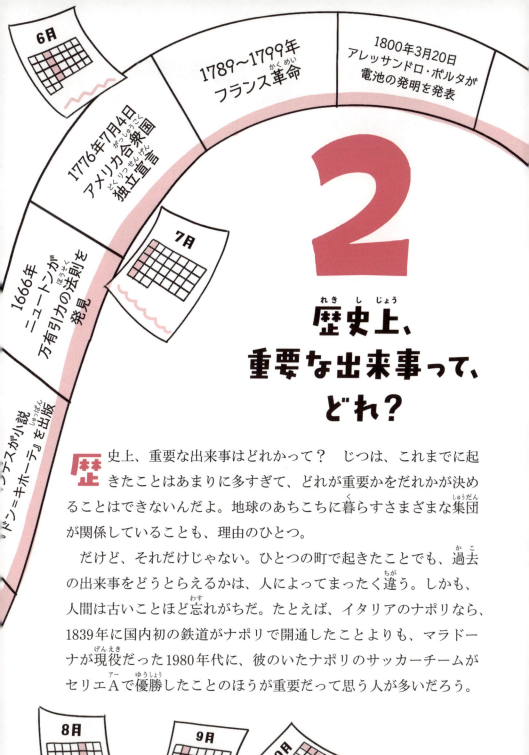

2
歴史上、重要な出来事って、どれ？

歴史上、重要な出来事はどれかって？ じつは、これまでに起きたことはあまりに多すぎて、どれが重要かをだれかが決めることはできないんだよ。地球のあちこちに暮らすさまざまな集団が関係していることも、理由のひとつ。

だけど、それだけじゃない。ひとつの町で起きたことでも、過去の出来事をどうとらえるかは、人によってまったく違う。しかも、人間は古いことほど忘れがちだ。たとえば、イタリアのナポリなら、1839年に国内初の鉄道がナポリで開通したことよりも、マラドーナが現役だった1980年代に、彼のいたナポリのサッカーチームがセリエAで優勝したことのほうが重要だって思う人が多いだろう。

15

過去の出来事を順番に並べて解説を添え、出来事どうしを結びつけるのに欠かせない道具がある。年表だ。

年表をつくるには、ふたつの要素がいる。ひとつめは時間を数えるシステム（暦）。ふたつめはそこに並べるもの（活躍した人物とか、出来事とか）。

> **暦**
> 時間の流れを、年・月・週・日の単位で区切って、数えられるようにしたもの。この方法で、1年間の月日や曜日、その日の行事などを表にしたのがカレンダー（英語で「暦」の意味）だ。

アイスクリームの歴史

紀元前330年

古代ギリシアのかき氷？
アレクサンドロス大王は、地中に穴を掘って雪を貯蔵し、夏になると兵士たちにふるまった。

11～12世紀

シャーベットの誕生
アラブ世界で、シャーベットが飲みものとして誕生した。フレーバーをつけ、サトウキビの砂糖で甘みをつけたもので、雪や氷をつめた容器で保存した。

618～907年

中国の唐王朝のスイーツ
乳を凍らせたスイーツを食べていた記録が残っている。南宋の詩人、楊万里は、それが日に当たって溶けるようすを書きのこしている。

このふたつの要素があれば、たいていのものの年表がつくれるよ。

年表では時間を一本の線で表し、その上を行ったり来たりしながら項目と項目のつながりを想像する。きみも疑問があるときは、年表をつくってみるといい。答えが見つかるかもしれないから。

1671年
記録に残る世界最古のアイスクリーム
イギリス国王・チャールズ2世に献上された。材料は生クリームとフルーツで、卵は使われていなかった。

1686年
アイスクリームがメニューに登場
シチリア人のプロコピオがパリにカフェ・プロコプを創業（いまも同じ場所にある）。はじめて一般の人びとにアイスクリームを提供した。

1884〜1939年
コーンとチョコレートコーティングの発明
イタリアのトリノにあるジェラート屋・ペピーノが、アイスクリームのコーンを発明。のちにチョコレートのコーティングも発明する（このアイスは現地で「ペンギン」とよばれている）。

1945年
サーティワンアイスクリームの登場
世界最大級のアイスクリームメーカーが誕生。

2 歴史上、重要な出来事って、どれ？

時間の数え方

暦が時間を表すことを知ってるなら、きっと、つぎのことも知ってるはずだ。

1. 1週間は7日
2. 1か月はだいたい4週間
3. 1年は12か月
4. 1世紀は100年

さらに、数世紀がまとまって、より長い期間を形成する。「時代」っていうやつだ（名前や定義が与えられることもある）。

時代で時間をひとくくりにして、そのあいだに起きた出来事を説明すると、はじまりと終わりが明確になるから、人びとの記憶に残りやすくなる。「歴史上の重大な出来事」もこれと同じで、人びとの記憶に残すために、あとから決められるんだ。

人間は、自分がいままさに時代のはじまりや終わりを告げる大事な出来事を経験中だってことに、なかなか気づけない。新型コロナウイルスが猛威をふるった2020年が、これまでとまったく違う歴史的瞬間だったことは、きみにもわかると思う。でも、コロンブスがスペイン女王・イザベルの支援を受けて1492年にアメリカ大陸に到着したときは、だれもそのことをはっきり理解していなかった。ヨーロッパとアメリカの生活が、このときを境に突然変わったわけじゃないんだ。

スペインの通りを走りながら「コロンブスがアメリカに着いたぞ

ー！」って叫んだ人はいなかった。それには少なくともつぎの3つの理由がある。

1. 到着の知らせがスペインに届くまでに何か月もかかった。
2. コロンブスは、インドに到着したつもりだった。
3. アメリカはまだアメリカという名前じゃなかった。アメリカという呼び方は、マルティン・ヴァルトゼミューラーというドイツの地図製作者の「しわざ」なんだ。そいつが、まだ名前のなかった「何か」に、探検家・アメリゴ＝ヴェスプッチの名前をつけた。ほんとうはさきに着いたのはコロンブスだから、これは大きなまちがいなんだけど、ぼくらはいまだにこの名前を使っている。

新大陸の名前はアメリカにしよう。コロンブスじゃ、かっこわるい

2 歴史上、重要な出来事って、どれ？

いまどの出来事が重要かを決めるのは、ぼくらなんだ。過去の出来事のうち、どれを重視するかによって、いまを生きるぼくらと過去との関係は変化する。だからぼくらは、その過去がどうしていま大事なのかを考えながら、出来事の重要性を決めている。

　あたりまえのことすぎて、いつ起きたかすら、わからないものもある。はじめて火を発明したのは、だれ？　それはいつのこと？　はじめて文章を書いたのは？　車輪をつくったのは？　いったい何年？　何月何日何曜日？　いまでも謎に包まれている。

一方で、正確な日付をすぐに思い出せる出来事もある。たとえば、9月11日。2001年にアメリカで同時多発テロが起きた日だ。でも、これだって、ほかの出来事との関連や、そのずっとまえに起きたいろんなことを意識してはじめて、日付が意味をもつようになる。

> いつ、だれが火を発明したのかはわからない。いったい何年？何月何日何曜日？

　過去の出来事がつながっていることも考えなくちゃ、意味がないんだよ。重大な出来事というのは、道路標識にちょっと似ている。人類の歴史をいろいろな時代に分けるための目印なんだ。

　ところで、昔とか古いとかを決めているのは、だれなんだろう。

　古い塔や、お城の跡を見たことはある？　もしくは、古代ローマの遺跡でもいいよ。道路でも、水道橋でもいい。

　時間を数えはじめるまえには、いったい何があったと思う？

　これから、そのことについて考えてみよう。

3
紀元1年のまえは何年？

日本で東京オリンピックがあったのは2021年。じゃあ、それより2020年前は何年？　そう、1年だね。正確には西暦紀元1年という。では、そのまえの年は何年だろう？

紀元ゼロ年だって?!　そう思っている人は多いんだけど、じつは「ゼロ年」はないんだ。紀元1年のまえの年は、紀元前1年だ。そのまえの年は紀元前2年、というふうに時代をさかのぼるにつれて、「紀元前」のあとの数字が大きくなる。

紀元前200年と紀元前100年、どちらが昔か、わかる？　そう、紀元前200年のほうが昔だよ。紀元前1万年にまでさかのぼると、氷河期になる。このやり方で、どれだけ昔でも数えられるのさ。

最初の暦

　カレンダーを見ると、ぼくらがどんな暦を使っているかわかる。ぼくらがいま使っているのは「グレゴリオ暦」という暦で、ヨーロッパでは1582年から使われている。そのまえは、どんな暦が使われていたんだろう。

　人類は昔から、年で区切って時を数えてきた。研究者のなかには、イギリスのストーンヘンジを世界最古の暦のひとつだという人もいる。あの円状に並んでまっすぐ立った巨大な石は、特別な日に太陽や星の光を観測するためのものだったかもしれない。ストーンヘンジのまわりでは、地面に穴が見つかっている。そこにはかつて、もっと古い木の柱が円状に立っていて、昔の人はその影の長さを測り、時間や太陽の動きを読んでいた可能性が高い。ようするに、太古の昔から太陽と影が時間を示す道具だったことは、確実なんだ。

　記録が残る最古の暦には、中東のイランからイラクにかけて、4000〜5000年くらいまえにシュメール文明が栄えたあたりで見つかったものがある。シュメール人は文字を発明しただけじゃなく、太陽の動きと月の満ち欠けの両方から計算した、最初の太陰太陽暦も考案したんだ。

太陽暦と太陰暦

暦には、大きく分けて「太陽暦」と「太陰暦」がある。

太陽暦というのは、ぼくらがいま使っている暦で、地球が太陽のまわりを1周する時間とほぼ同じ約365.2425日を1年とする。太陰暦は、月の満ち欠けの周期（約29.5306日）を基準にしている。ただし、太陰暦の1年は354日しかないから、使いつづけると、少しずつ暦とじっさいの季節がずれてしまう。これを改善するために、多くの地域では、太陰暦にずれた日数を加えて「うるう月」をつくって使っていた。難しい言い方で、これを太陰太陽暦というんだ（いまの太陽暦であるグレゴリオ暦が導入される明治時代のはじめまで日本で使われていた「旧暦」もこれにあたる）。

純粋な太陰暦は、使い勝手が悪いので、あまり使われなかった。ただし、イスラーム暦はこの純粋な太陰暦だ。

シュメール人の文明で、うるう月を足すタイミングを決めるのは、王さまの仕事だった。それだけ重要なことだったってわけ。

イタリアで最初に太陽暦を採用したのは、古代ローマで紀元前1世紀に活躍したユリウス・カエサルだ。それまでのローマでは、シュメール人の暦に似た太陰太陽暦が使われ、しょっちゅう月が追加されていた。人びとは税金の支払いをひと月さきのばしにできるから、そのたびに大喜びだった。うるう月を追加するタイミングを決めるのは、神々につかえる神官とよばれる聖職者だった。

カエサルが導入したユリウス暦では、1年を365日とし、4年に1回、1日を追加した（ぼくらのうるう年と同じだね）。カエサルの暦はとてもよくできていて、教皇グレゴリウス13世がグレゴリオ暦を発布するまで使われていたんだよ。

元年って、なに？

「元年」っていうのは、「ここから数えよう」と決めた年のこと。

ローマ人にとっての元年は、ローマ建国の年だった。イスラーム暦のはじまりは、預言者ムハンマドのヒジュラ（聖遷）の日、つまり彼が迫害を逃れて移住をはじめた日だ。ぼくらのグレゴリオ暦だと、紀元後622年にあたる。ユダヤ暦の元年は天地創造の紀元前3761年だし、古代マヤ人にとっては紀元前3114年の8月11日だった。

キリスト教徒にとっての元年は、イエス・キリストが生まれた年だ。だから、紀元前をB.C.（Before Christ、「キリストのまえ」）と書くんだよ（紀元後は、A.D.〈Anno Domini、ラテン語で「主の年」〉）。このように、イエスが生まれた年を基準とする暦を「西暦」とよぶ。イエスが生まれた年を突きとめたのは、小ディオニュシウスという

失われた10日間

地球が太陽のまわりを1周するのは約365.2422日だけど、ユリウス暦では365.25日とされた。これだと、1年に11分ずつ長くなるから、少しずつ誤差が大きくなってしまう。

長い年月で積みかさなったユリウス暦の小さなエラーを修正するために、グレゴリオ暦が導入されたのは、1582年10月4日のこと。その夜、眠りについた人びとが目覚めると、翌朝は10月15日になっていた。歴史上有名な「失われた10日間」だ。

日本ではずっと太陰太陽暦が使われていたけれど、明治時代に入ると、西欧の国々にならって太陽暦が導入された。その結果、明治5年12月3日が、明治6年1月1日となった。日本にも「失われた1か月」があったんだね。

偉大な修道士なんだけど、彼は小さなまちがいをひとつおかした。その結果、いまではイエスが生まれたのは、西暦元年よりも4〜5年前だと考えられている。

歴史上には、王さまごとに年を数えなおす方法もあったし（「平成」「令和」など、いまの日本の元号がそうだね）、中国みたいに、日常的には60年ごとに一巡する十干十二支を使っていた地域もあった。

3 紀元1年のまえは何年？　27

4 昔のことを、だれがいまに伝えたの？

人間は昔から歴史の話をしてきたけれど、人より物覚えのよい人っていうのがいる。たとえばきみは、歴史の話を聞いても半分しか覚えられないかもしれない。ところがあの子は、1ページ読めば、そっくり暗記できてしまう。

そういうものさ。人類はそのことに気がつくと、古代にはもう、その子みたいな人に、みんなのかわりに読み、書き、記憶する役割を与えた。えらい人の名前や、その人のすぐれたおこない（よくないことは少しマイルドな表現にして）、戦争の勝ち負けや、行事、お祈りに欠かせない儀式を記憶させたんだ。

だから、そうした役割をになう人という意味での歴史家は昔からいた。地中海で活躍したホメロスや、ウェールズの森で活躍したタリエシンは知ってる？

かれらのような、宮廷で貴族を楽しませていた叙事詩人（実話や伝説を物語のように伝える詩人）や吟遊詩人（詩をつくって曲にのせて歌う旅芸人）がそのいい例だ。ラスコーの洞窟にバイソン狩りの熱き戦いを描いた正体不明の古代人もそうだね。
　歴史上には、きみの知っているあの子みたいに記憶力のいい修道院長や写字生（書籍を書き写す僧）、古文書保管人や記録係がいた。何世紀にもわたって数々の出来事を書きとめ、注釈を残し、それを写し、保管して、現代のぼくらまで届けてくれた人たちだ。
　そして、現代にはプロの歴史家＝歴史学者がいて、刑事のように歴史を調査している。どうして、そんなことをするのかって？　知りたいからだよ。歴史学者は、人類がどうしてあんなことをしたのか、もしくはしなかったのかを知りたいんだ。かれらは、お宝級の知識にせよ、正真正銘のお宝にせよ、未知のお宝がどこかに眠っていると信じている。しかも、それにはちゃんと根拠があるんだ。

> 歴史学者は、まだ見ぬお宝がどこかに眠っていると信じている人たちだ

大事な情報を守れ！

　お宝を発見するためには、綿密で粘りづよい調査が必要だ。何百冊もの日誌や古文書、証言や本を読み、何百もの仮説を立てては、ひとつずつ検証して、ダメなものは却下する。そのためにはもちろ

ん、そのお宝を集めて守ってきた人たちの存在が欠かせない。ほんもの* のお宝や、お宝級の情報には、それを保存してきた人がいるはずなんだ。

いまはインターネットのウィキペディアを使えば、多くのことがかんたんに調べられる。調べものをはじめるときに、これほど便利なものはない。でも、ウィキペディアっていうのは、古くからある百科事典のアイデアを最新版にしただけのものなんだ。百科事典っていうのは、人類がもつ重要な情報を1か所（または数冊の本）に集め、みんなに公開したものだ。さらに言うと、その百科事典は、図書館そのものにヒントを得て誕生した。図書館も、世界の知恵を保存して共有するための場所だよね。

どうして、人間はこんなことをするんだと思う？

それは、知識を得ることで、自由を手にするためなんだ。

百科事典を考案したのは、フランスのディドロとダランベールという人物だ。ふたりが活躍した18世紀には、ものごとを深く考えるために必要な知識（そして時間と資金）さえあれば、人はだれでも思想をもてるという考えが大事にされた。この考え方を「啓蒙主義」という。つまり、人生を啓蒙する（＝明るく照らす）ためには、知識が必要で、そこからはじめて思想が生まれるってこと。

歴史を世代から世代へと受けつぐ行為は、太古の昔からあらゆる文明でおこなわれてきた。シュメール人やバビロン人、アッシリア人やエジプト人たちは、代々の王さまや、それぞれ

> **数字の話**
>
> ディドロとダランベールが編纂した『百科全書』は2部構成で、28巻からなる。本巻が17巻（7万1181項目）、図版集が11巻だ。

の時代の大事な出来事が書かれた長大な年代記を持っていた。
　どうして、そんなものをつくっていたんだろう？
　その年代記があれば、権力者である王の役割が、何世紀もまえから受けつがれる重要なものだって証明できたからさ。重要だから受けつがれる。受けつがれてきたから、重要だとみなされる。歴史と権力はこうして支えあっているんだ。
　広告で、「1850年創業」とか「半世紀変わらぬ味」なんていうのを見たことがあるだろう？　それも同じだ。ブランドやお店、製品は、歴史が長ければ長いほど、価値があるように思えてくる。現代まで守られてきたっていう、ただその１点でね。

伝説としてのサラエボ事件

　きみはきっと、第一次世界大戦の「引き金」となったサラエボ事件の話は聞いたことがないと思う。でも、100年近くのあいだ、この事件は戦争勃発の「理由」として語りつがれてきた。

4 昔のことを、だれがいまに伝えたの？

```
1867年創刊 朝刊          トリノ、1914年7月29日（水）              207号
購読料   月ぎめ
イタリア国内 1.15
および植民地
国外    3.25         LA STAMPA             折りこみ広告料金
一部売り 5セント
```

オーストリア、セルビアに宣戦布告
前線で初の戦闘　モンテネグロ武装　イギリス艦隊が軍備
欧州の平和に深刻な危機

　この事件が重要とされるのは、歴史学者のあいだで「きっかけ」とよばれる出来事だからだ。ものごとの変わりめを示す行動や瞬間、出来事って意味さ。

　ただし、ガヴリロ・プリンツィプが大公に発砲したことは事実だけど、第一次世界大戦は、彼のせいだけで起きたわけでも、この事件だけが原因だったわけでもない。当時の新聞記事や証言をよく読めば、つぎのことがわかる。

1. 発砲したのはプリンツィプだけじゃなかった。銃弾２発で２名が死ぬなんて、うまくいきすぎだろ？

2. 第一次世界大戦やその何百万人もの戦死者が、この事件から生まれたわけじゃない。

3. オーストリアとセルビアは数年前から政治的な緊張や問題をかかえていたし、オーストリア＝ハンガリー帝国は、国内のあちこちで崩壊寸前だった。

　それなら、どうしてぼくらはこんなに長いあいだ、サラエボ事件と第一次世界大戦を結びつけて学んできたんだろう。それは、そうしたほうが、みんなの記憶に強く残るからだ。この事件は、ほとん

　ど伝説になって、オーストリアとセルビアの複雑な緊張や、政治的な対立、一般市民や若者に突きあげられて終わりを迎えつつあった帝国の役割を、ぼくらの記憶にとどめる役目を果たしている。つまり、きっかけっていうのは、ものごとを覚えておくために役立つんだよ。

　ただし、さっきも話したとおり、歴史的出来事の背景には、きっかけ以外にもさまざまな原因がある。

　第一次世界大戦をもっときちんと理解するには、本をたくさん読まなきゃならない（そして、どの本も、ほかのたくさんの本を読んで書かれたものだ）。いくつもの話をくらべたり、参照したりして、図書館で長い年月を過ごしたりしなくちゃならない。そうして資料を読み、選択し、比較してはじめて、ぼくらは、なぜオーストリアが開戦を宣言したのかを正確にイメージできるようになる。

最初の歴史学者

　ヨーロッパの歴史学には祖とされる人物が3人いて、それぞれにそうよばれる理由がある。みんな、自分の時代やその少しまえの歴史を語った最初の人物といわれている。

　まず、紀元前5世紀に活躍した**ヘロドトス**を紹介しよう。彼は**死体解剖**をする医者のように、自分の目で歴史を確かめようとした人物だ。

　ヘロドトスは、自分とほぼ同時代のペルシア戦争について、みずから調査し、証言を集めた。ペルシア戦争っていうのは、アテネやスパルタなどギリシアの都市国家と、現在のトルコがある地域からオリエント中央部にかけて広がる巨大帝国、アケメネス朝ペルシアとの戦いのことだよ。映画『300〈スリーハンドレッド〉』を観たことがあれば（それかアメコミを読んでたら）、どんな戦いか想像がつくと思うんだけど……。まあ、歴史的には違うところもあるけど、あれはあれでおもしろい作品だよ。

　ヘロドトスは、自分自身の体験に加えて、証言を集め、かつての戦場に足を運んだ。矛盾する情報を見つけたり、ひとつの事実に対して複数の話を聞いたりしたときは、さらに情報を集めて判断するようにした。ようするに、はじめて歴史を批判的に検討した人物なんだ。

　いちばんすごいのは、彼はギリシア人なのに、「ペルシア人は悪

> **死体解剖**
>
> 「死体解剖」を意味するイタリア語のautospia（アウトスピーア）は、もともと「自分の目で見る」という意味だった。ヘロドトス自身も、このことばをもとの意味で使っている。じっさい、ヘロドトスは自分の足であちこち旅し、情報がほんものかどうかを確かめてから本にしていたんだよ。

者だから戦争をしかけてきた」と非難するのではなく、戦争が起きた理由を理解しようとして、それを突きとめたことだ。ヘロドトスによると、ペルシア戦争は、ミレトス市がペルシアに反乱したことからはじまったけれど、そもそもミレトスがペルシアとの約束を守らなかったことが発端らしい。

　ふたり目の歴史学の祖は、同じく紀元前5世紀の**トゥキディデス**だ。『ハリー・ポッター』に出てくるドローレス・アンブリッジ先生みたいな、きびしくて、細かくて、小さなことにネチネチこだわる人物を想像するといい。

　アテネ市民のトゥキディデスもまた、自分が生きた時代の長い戦争について書くことにした。アテネとスパルタの30年にわたるペロポネソス戦争だ（勝ったのはスパルタだよ）。トゥキディデスは真実だけを語ろうとして、ものすごく几帳面に

4　昔のことを、だれがいまに伝えたの？

細かいことまで文にした。そして事実をひとつ残らずつなぎあわせ、おそろしく正確な情報がつまった超大作をつくりあげた。

トゥキディデスは、自分が書いたものも、かならずほんとうか確かめるように言っているけれど、彼の書いたものなら、信じてだいじょうぶだろう。

そして最後に、紀元前5〜4世紀に活躍した**クセノポン**がいる。シャーロック・ホームズとワトソンを足して2で割ったような人物だ。ホームズみたいな変わり者で、友人のワトソンみたいに文章がうまかった。彼は戦争に参加した実体験を書きのこしている。

ギリシア人のクセノポンは、ペルシア王の弟、キュロスにつかえて小アジア（現在のトルコのアジア部分）へ出陣した。ところが、キュロスと将軍たちが戦死したので、クセノポンは残りのギリシア兵を連れて帰国しなくてはならなくなった。そして、ほぼ全員を海へと逃がすことに成功したんだ。

大仕事を成しとげたクセノポンは、それを『アナバシス』という本にした。これはいまに伝わる戦記のなかで最高傑作のひとつといわれている。

だが、ここでひとつ問題がある。その戦争の話をしたのも、直接かかわったのもクセノポンだけなら、その話がほんとうかをどうやって調べればいいんだろう。——残念ながら、確かめるすべはない。

現代における歴史は、大学で学ぶれっきとした学問で、きちんとした手法と成果のあるものを指す。

昔とくらべると、歴史研究の動機は変わった。事件や王家について記録を残したり、神話の世界に思いを馳せたりするためのものではなく、人類としてまだ解明されていないことを知り、知識の空白

を埋めるためのものになった。未来に役立つヒントを得るための手段になったんだ。

そんな研究のためにはまず、専門家のチームが必要になる。

クセノポンとプラトン、ふたつの真実

クセノポンは、古代ギリシアの有名な哲学者、ソクラテスの弟子でもあった。

ソクラテスは晩年、有力な政治家に恨まれたせいで裁判にかけられた。ソクラテスは裁判で人びとの誤解を解き、自分の考えを知ってもらおうと、みずからたくさんの弁論をおこなった。でも、最終的には死刑判決を受けた。裁判のあとで国外に逃げる機会もあったのに、逃げずに死刑を受け入れたんだ。

クセノポンは、戦争から帰ってきてから、いろいろな人の話を聞いてソクラテスの弁論を本に書いた。この本が『ソクラテスの弁明』だ。ところがもうひとり、『ソクラテスの弁明』という本を書いた人物がいる。プラトンだ。プラトンもソクラテスの弟子で、彼は裁判をじっさいに見ていたらしい。

このふたつの『ソクラテスの弁明』で描かれたソクラテスの姿が、少し違う。じっさいに裁判を見ていたプラトンのほうが真実に近いかというと、そうとも言いきれないところがおもしろい。プラトン自身が独自の考えをもつ哲学者だから、ソクラテスの弁論に自分の考えを加えているらしい。それにくらべて、クセノポンは自分の考えをまじえずに素直に書いているようだ。でも、クセノポンは裁判を見ていない。きみは、どちらを信じる？

5 歴史を研究するのはどんな人たち?

歴史の研究と事件の捜査は似ている。事件解決に、現場検証者や指紋採取係、死体を解剖する医師や、逮捕状を発布する裁判官……と、たくさんの人が必要なように、歴史の調査にもさまざまな専門家が必要なんだ。これからそれを紹介していこう。

歴史学者

歴史学者は猟師に似ている。過去という森を自由自在に駆けまわり、手がかりのにおいを嗅いで、獲物にたどり着く。

研究には決められた方法があり、研究者はみな、なんらかの得意

分野をもっている。近代や中世といった時代を研究する人もいれば、産業革命や中国文明といったテーマから歴史を研究する人もいる。かれらはみんな刑事と同じように、「何が起きたんだ？」という疑問から出発し、手がかりやわずかな証拠を頼りに答えを探る。そして、その舞台や事件を再現して、人びとに伝える。

　そのために歴史学者は、疑問を解いてくれそうな手がかりを選んで、それを解釈する。ほしい手がかりがすべてそろうことはめったにないけど、そのなかで筋のとおった学説を打ちだせるように努力する。

　たとえば、古代ローマの皇帝ネロのことを考えてほしい。彼は常軌を逸した残酷な人物といわれてきた。だが、最近の研究では、そんなにこわい人じゃなかったことが明らかになった。おそろしいイメージが伝えられてきたのは、ネロ帝に関する文書のほとんどが、敵によって書かれたものだったからなんだ。

42

もし、未来の歴史学者が、いまの政治家について、批判的な新聞記事しか読めなかったら、どんな評価をするだろう。または、サッカークラブのユベントスについて、ライバルのインテルのファンが残した情報しか読めなかったら？

　刑事と同じように、歴史学者は出来事を再現する力が必要で、すごく忍耐強くないといけない。だって、研究に役立つものがいつ見つかるかなんてわからないし、見つかるかどうかすらわからないんだから。

考古学者

　考古学者は、太古の文明の専門家だといえる。かれらは建物や道具、場所、生物の死骸や痕跡を分析する。

　発掘は、考古学者の大切な仕事だ。発掘によって、残されたものにふたたび光を当てるんだ。

　考古学者には、文献を読みとく能力だけではなく、科学的・技術的な能力も求められる。発掘や、発掘物の分析、解釈、保管や目録作成は、綿密に定められた方法と手順にしたがっておこなわれるからだ。

発掘現場は世界中にある。遠い国にも、きみの家の近くにも。
古来、地中海沿岸の国々では、さまざまな文明が生まれ、大昔に人が住んでいた場所の上に新しい都市がつくられることも多かった。

ハインリヒ・シュリーマンの大発見

だからいまでも、ビルや地下鉄をつくろうとしていざ工事をはじめると、歴史的に重要な遺跡が見つかって、長く複雑な考古学的調査がはじまることがあるんだよ。

パーシー・フォーセットの探検

文化人類学者

　文化人類学者というのは、人びとの文化や行動、人びとが自分たちの文明を、どんな考えで、どうやってつくりあげたのかを研究する人たちだ。文化人類学者が知りたいのは、ある社会の構造（例：あの集落の聖職者は何をしている？　女性はどんな扱いを受けている？）、宗教（この集団の神さまって、どんな感じ？　神さまをまつる儀式って？）、風習（そこでは特別なときはどんな服を着る？　特別なときって、どんなとき？　成人や結婚のための通過儀礼はある？　結婚は、どんなしくみ？）などなど。

　文化人類学者は、ある特定の社会の人びとの暮らしや、かれらが近くの社会とどうかかわっているかを研究する。アフリカのマリ共和国のドンゴン族と何年もいっしょに暮らし、部族の賢者に信頼されて、その風習を記録した文化人類学者もいる。ある部族のロングハウス（10〜50人の大家族が住む長屋）に魅了され、ボルネオ島のジャングルへ行った文化人類学者もいる。そうやって世界中を旅する文化人類学者もいれば、ぼくらが町なかでスマホにかじりついて、どんな暮らしをしているかを研究する文化人類学者もいるよ。

すごいぜ！ 神話

　世界には、いろいろな神話がある。ヨーロッパだとギリシア神話が有名だし、日本では『古事記』に描かれた神話が有名だ。神話の研究者、ジョーゼフ・キャンベルは、世界各地の神話には、「英雄の旅」という共通点があると言っている。人間の心のなかに隠された普遍の真理が、神話には隠されているんだって。映画『スター・ウォーズ』の脚本を書いたジョージ・ルーカスも、キャンベルに大きな影響を受けたんだよ。

古生物学者

　19世紀初頭、イギリスに住んでいた少女、メアリー・アニングは、おしとやかなお嬢さまなんてものとは正反対の暮らしを送っていた。ある日、ドーセットの崖をよじ登って探検していると、見たこともない動物の骨を見つけた。まだほとんど存在が知られていなかった恐竜を発見した瞬間だった。

　大発見だったのに、メアリーの功績が称えられることはなかった。この時代には、まだ化石の専門家はいなかったし、女性がロンドン地質学会に入ることもできなかったからだ。学会に入らないと発表もできないし、世間に認められることもなかった。

　ありがたいことに、いまでは状況が変わり、動物や植物の化石を研究したい人は、だれでも古生物学を勉強できる。

　古生物学は、はるか昔、人類が誕生するまえの生物を研究する学問だから、歴史学の分野にはふくまれない。でも、古生物学で新しい事実が発見され、歴史学とのかかわりがもっと深くなる可能性はいつだってある。考古学者との違いは、勉強する科目だけじゃない（考古学は文系だけど、古生

私が見つけたのよ。鳥じゃなくて、恐竜のイクチオサウルス！

5　歴史を研究するのはどんな人たち？　　47

物学者になりたかったら、理系に進学する)。古生物学者が分析するのは、動物と植物の化石だ。地質学者(石の専門家)でもあり、生物学者(生きものの専門家)でもあるのが、古生物学者なんだ。

> **化石**
>
> 「化石」というのは、人類誕生よりまえの時代の生きものの死骸や痕跡(巣穴とか)が、地層のなかに保存されたものを指す古生物学の用語だ。だから、古代エジプトのピラミッドに眠るミイラは「化石」とはいわないんだよ。

発掘品の年代測定

　モノの年代を測定するのは、かんたんなことじゃない。人の手でつくられた工芸品なら、それがホンモノかどうかを確かめなくちゃならない。人びとが発掘品を収集するようになってから、想像を絶する数のニセモノが製造されてきた。

　考古学者など専門家の力を借りれば、だいたいホンモノかどうかわかるけど、それでもまちがいが起きないとは言いきれない。ホンモノかどうかを確かめるには、時代によって変わる絵の様式や飾りの文様、素材(たとえば、絵の具が何でできているか)や製造方法(どんな道具でつくったか)、さらには、ひびや欠け、付着物、すりへりも調べる。

　ときにはもっと正確に年代を測定しなくちゃならないこともある。発掘物の一部が木材のような有機物なら、「炭素14年代法(放射性炭素年代法)」が使われる。炭素14というのは、放射性元素の一種で、生物が生きているあいだにひとりでに細胞に吸収され、死んだら一定期間ごとに半分の量になる。だから、炭素14が発掘物に

どのくらい残っているかを分析すると、その木が木材として使われた年がわかるんだよ。

ミイラの年齢の調べ方

たとえば、ミイラの年齢を知りたいときは、炭素14が包帯や皮膚にどのくらい残っているかをチェックする。布も皮膚も有機物だから炭素14を測れるんだ。

炭素14の量は、5730年で半分になる。ミイラが、生きている場合の通常量の半分しか炭素14を持っていなかったら、5730歳以上ということだ。4分の1しかなかったら1万1460歳以上、ちっとも残っていなかったら6万歳以上ということになる。

もしもそんなミイラがいたら、世界を揺るがす大発見だぞ（いまのところ、そんなに古いミイラは存在しないといわれている）。

まだ炭素たっぷりだから、ピチピチよ！

6

何を見つけたら、発見なの？

　屋根裏部屋で、パパの通知表を見つけたって？ しかも算数の成績がひどかった？ それなら、こんどテストで悪い点をとってしかられたら、こんなふうに言いかえせるね。「パパも算数は苦手だったんだろ！」って。通知表を見ていると、小学生時代のパパの物語が見えてくる。

　こんな場面もあるかもしれない。骨董好きの親戚のおばさんと骨董市へ行って、きみのほうが品物の歴史にくわしかったら、おばさんが店の人にだまされないように助けてあげるといい。「これがエトルリア時代の壺なんてウソだろ！ メイド・イン・台湾って書いてあるじゃないか！」って。ニセモノかホンモノかで、その壺の物語は、まったく別のものになる。

または、おばあちゃんがメキシコみやげにくれた、アステカ王国のピラミッド型(がた)の不気味なガラスのシャンデリア。だれがつくったのか、どうしてピラミッド型なのか、アステカ人はどんな人なのかっていう物語もあれば、それを買ったおばあちゃんの物語や、きみがスイッチを入れたときの物語もある。

　世界はモノであふれている。うちにあるモノや、それらがもつ物語をリストにまとたら、何か月もひまがつぶせてしまう。

　ようするに、ぼくら人間にとっては、ただのモノがそれ以上の意味をもつ。モノの物語は、それにかかわるきみの物語にもなる。ありふれたモノでも、人がかかわることで、世界にひとつだけのだれかの物語になるんだ。そして、主観的な歴史(れきし)になる。（これはきみだけにとって、しかも、きみが覚えていて語りついだときだけ、意味をもつ歴史だ。）

モノの魅力(みりょく)

　歴史学者にとってモノが魅力的(みりょくてき)なのは、しかるべき調査(ちょうさ)をすれば、どんなモノでも「史料(しりょう)」になるからだ。史料は情報(じょうほう)の泉(いずみ)だ。ホンモノで信頼(しんらい)できるとわかったら、そこから井戸みたいにいくらでも新発見をくみだせる。

　おばあちゃんがコレクションしたレコードを見れば、おばあちゃんが昔はイケイケの女子だったこととか、きみよりダンスがじょうずだったこととか、そのころの若者(わかもの)らし

調査(ちょうさ)のやり方が適切(てきせつ)なら、どんなモノも情報(じょうほう)の泉(いずみ)になる

い夢や好みをもっていたことがわかるだろう。

　だから、きみが発見したレコードは、ただの古い黒のディスクじゃない。フリスビーみたいに投げるなんてもってのほか！　そのレコードは、制作した人や聴いていた人についての史料なんだ。

　歴史学者は、史料をどう活用すればいいのか、どうやって史料どうしを関連させ、現在と結びつければいいのかを知っている。だから、かれらの手にかかれば、古代のものから現代のものまで、史料はどれも貴重なものとなる。

史料あれこれ

どんなモノも、じょうずに使えば、りっぱな史料になる。

本

ジェーン・オースティンやチャールズ・ディケンズの小説は描写がていねいだから、読めば、19世紀のイギリスでの生活が、都会についても田舎についてもよくわかる。

日記や手紙

日記を書いたことのある人は多いだろう。

じっさい、たくさんの人が日記を残している。偉大な探検家なら、18世紀中頃にオーストラリアと太平洋諸島を「発見」したキャプテン・クックや、20世紀初頭に南極に到達したアーネスト・シャクルトン。

有名なアンネ・フランク。芸術家なら、19世紀末にパリで活躍した画家のマリ・バシュキルツェフ。アンネの日記もマリの日記も、当時の生活や若者が考えていたことを理解するために欠かせない史料だ。

名所や建築物

ピラミッドや宮殿は、どうやって建てられたと思う？ 凱旋門や噴水を思いついたのは、だれだろう。どうして、イギ

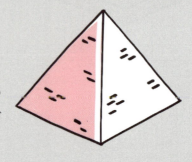

リス人は、きれいな田園風景を丘や湖と調和させて残すことにした？　人間がつくったものを観察すると、それらが生まれた社会的背景も見えてくる。

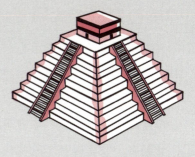

絵画

　絵画を読みとくと、あらゆることが見えてくる。昔の風習や服装、思想や迷信、人びとの恐怖や希望。想像力を働かせれば、UFOだって見えるぞ。……あ、信じてないな？　カルト・クリヴェッリの『聖エミディウスのいる受胎告知』（1486年）を検索してごらん。ほら、左上に見えるだろ？

お墓

　古代エジプト人は、あの世で役立つと信じて、召し使いや身のまわりのものをミニチュアにしてお墓に持ちこんだ。また、メキシコがあるユカタン半島で栄えたマヤ族は、死んでも食べものに困らないよう、死者の口にトウモロコシをくわえさせて埋葬した。埋葬のときに持っていったものから、その民族の生活に欠かせなかったものがわかるね。

ニセの史料で大騒ぎ

　どんな調査をするときも、手がかりとなる史料を見つけたら、それを壊さないように気をつけなくちゃいけない。だから、映画『トゥームレイダー』のララ・クロフトみたいに、古代のお墓の壺をけとばすのは、ぜったいにダメだ！

　史料というのは基本的に、後世だれかに読まれることを意識して書かれた史料と、そうでない史料の２種類に分けられる。

　もし、きみがいまの暮らしをくわしく書き、鉄の箱に封印して庭に埋めたら、いつかだれかに見られることを期待して史料を残したことになる。

　じゃあ、ひいおばあちゃんが集めた木のおもちゃが、物置のすみに忘れられているのが見つかったら？　それは、ひいおばあちゃんがどんな遊びをしていたか伝えようとしたからじゃないよね。遊び方を聞き、答えを探すのはきみの仕事だ。

　もっと言うと、ホンモノだと思っていた史料が、じつはニセモノで大騒ぎ、なんてこともある。

　たとえば、紀元315年、ローマ教皇シルウェステル１世は、「コンスタンティヌス帝の寄進状」によってさまざまなものをゆずり受け、ローマ・カトリック教会のトップに立つことが認められた。この大事な文書には、コンスタンティヌス帝みずからが教皇に土地と権力を与えたと書かれている。

　ところが、この文書はニセモノだったことが、1440年に証明された。とはいえ、ニセの史料も役に立つ。それがどう使われたのか、なぜ、でっちあげられたのかを知る手がかりになるからね。

　長いこと信じられていたニセの史料といえば、プラトンの対話篇の一部もそうだ。そこには消えた古代文明「アトランティス」の伝

説が暗示されている。海に沈んだまぼろしの大陸の伝説は、ぼくらの時代まで伝わっているね。でも、この大陸が実在したかどうかは謎に包まれたままだ。

どうして、こんなことが起きるんだろう。だいたいは、どれがホンモノで、どれがニセモノかを確かめる手段をもっていないから、こんなことになる。中世のころなんて、ジョン・マンデヴィルとかいうヤツがでっちあげた、ありもしない異国の地や謎の生きものの存在は信じてもらえたのに、じっさいに元（いまの中国）を旅したマルコ＝ポーロの話は信じてもらえなかったんだ。

海賊のイメージも、つくり話から!?

ぼくらが海賊についていだくイメージは、ほとんどが事実と異なる。

そのイメージのもとになったのは、たった1冊の本、1726年に出版されたキャプテン・チャールズ・ジョンソンの『海賊史』だ。残念ながら、これはぜんぶつくり話ともいわれている。作者も架空の人物で、じっさいに書いたのはダニエル・デフォー（『ロビンソン・クルーソー』の作者）だという説もある。

7 歴史は男の人がつくったの？

　も ちろん、男の人だけが歴史をつくったわけじゃない。でも、歴史の本を読むと、男の教皇や王さま、軍人や芸術家はたくさんいるのに、目立った活躍をした女の人はあんまりいないよね。

　そりゃ、なかには例外もいる。エジプトのクレオパトラとか、イギリスの血まみれのメアリ（女王メアリ１世）やヴィクトリア女王とか……。とはいえ、本に登場する女性は、ほとんどが国王の「お妃」か、一時的に王位を支えた「摂政」だ（女の人より、10歳にもならない男の子のほうが、王にふさわしいとされることがあったんだ）。

　でも、平安時代に活躍した紫式部や清少納言がいなければ、いまの日本の文学はまったく違ったものになっていたかもしれない。紫式部の『源氏物語』は世界最古の長編恋愛小説といわれているし、

59

清少納言は持ち前のセンスを発揮して、自然や日常を『枕草子』に書きしるし、随筆（エッセイ）というジャンルを生みだした。

人類の長い歴史において、女の人の生涯が語られることはほとんどなかった。だから、研究が進んでその一生が明らかになると、「女にそんな大仕事ができたのか！」と驚く人がいまだにいる。

信じられない話だろ？　世界の人口の半分が、裁縫をしたり、料理をしたり、美しさを磨いて勇者にさらわれることを夢見ながら一生を過ごしていたみたいな言い草じゃないか。ギリシア神話では、世界一美しいスパルタ王妃をトロイの王子が略奪したことが、トロイア戦争の引き金となっている。

ぼくらは、ほんとうの女性の歴史がどうだったかを見ていくことにしよう。

歴史のなかの女性たち

じっさいには、いまでも、昔の女性たちの人生や考え、行動を再現するのはかなり難しい。古代社会の場合は、参考になる史料が少ないから、とくにそうだ。

たとえば、紀元前5世紀の民主政アテネでは、女性は市民としての権利すらなく、子どものうちは父親に、大人になってからは夫に守ってもらう存在とされていた。

女性にとっては家が世界のすべてで、家事をして家族につかえることがただひとつの選択肢だった。もしそれがイヤなら？　いちおう町の城壁の外に出れば、くだものを収穫して市場で売る女性もいた（ただし、それにも夫や息子の助けは必要だった）。巫女もいたし、自分で「商売」をする女性、つまり体を売る女性もいた。

　古代ギリシア・ローマ社会では、女性に重要な役割が与えられることがほとんどなかったんだ。

　北アメリカ大陸北東部に住んでいた先住民族、イロコイの女性たちは、17世紀（ジェイムズ・フェニモア・クーパーの小説『モヒカン族の最後』のころ）にはすでに、あらゆる政治的な決定に参加していた。自分の財産を持ち、選挙で投票したり、部族の長に選ばれたりもしていたんだよ。

　とはいえ、世界のほとんどの社会では、歴史上長いあいだ、女性には補助的な役割や立場しか与えられなかった。女性が成果をあげても、認めてもらうための苦労はたいへんなものだった。

　その結果どうなったか、知ってる？　男性のふりをして、何食わぬ顔で本を出したり、絵を描いたり、旅に出たり、戦ったりする人たちが現れたんだ。やがて多くの女性が声を上げるようになった。

> 女性には、歴史上長いあいだ、補助的な役割しか与えられなかった

7　歴史は男の人がつくったの？　61

男のふりをした女性たち

ジャンヌ・ダルク（1412〜1431年）
イギリスとの百年戦争で、フランス軍を率いて戦った少女。戦争に出てからは、ずっと男の格好をしていた。

マーガレット・アン・バルクリー（1795〜1865年）
男性のふりをして軍の外科医となり、ジェームズ・バリーと名乗ってインドやケープタウンで働いた。

ブロンテ姉妹：シャーロット（1816〜1855年）、エミリー（1818〜1848年）、アン（1820〜1849年）
架空のベル兄弟として本を出版。カーラー（じつは『ジェーン・エア』を書いたシャーロット）、エリス（じつは『嵐が丘』を書いたエミリー）、アクトン（じつは『アグネス・グレイ』を書いたアン）と名乗った。

フランシス・クレイトン（1830年頃〜1863年以降）
夫とともにアメリカ南北戦争を戦った。偽名はジャック・ウィリアムズ。

ハーパー・リー（1926〜2016年）

本名はネル・ハーパー・リーだけど、著書『アラバマ物語』が出版される可能性が少しでも広がるように、女性とわかる「ネル」を消した作家名にした。

マーガレット・キーン（1927年〜）

自分の描いた絵に、夫のウォルターの名前のサインを入れていた。やがて真実を打ち明けたが、だれも信じてくれなかったので、法廷の裁判官の前でじっさいに絵を1枚描いたんだ。あまりにとんでもない話だったから、『ビッグ・アイズ』という映画にもなった。

リーナ・カノコギ（1935〜2009年）

1959年、男装して参加したニューヨークでの柔道大会でみごと優勝。ただしメダルは返還させられた。のちに、女性としてはじめて、講道館の男性にまじって稽古を受けることを許される。

7　歴史は男の人がつくったの？

投票する権利

女性がはじめて集団で大規模な抗議をしたのは、投票する権利を求めたときだった。20世紀初頭の女性はまだ選挙権をもっていなかったんだ。

もっとも激しいたたかいの場はイギリスで、反逆を起こした女性たちは、英語の選挙権に由来するサフラジェットという名でよばれた（このたたかいを描いた『未来を花束にして』という映画もある。『エ

あの国の女性の投票は、いつから？

女性に投票権を与えるのが早かった国に、イタリアのトスカーナ大公国がある。『ピノッキオ』の作者、コッローディによれば、1849年のことだったらしい。南太平洋のイギリス領ピトケアン諸島では、その11年前に女性の投票権が認められていれた。スイスでは、一部の女性が1718年から1771年のあいだだけ投票できたけど、ヨーロッパの近代国家ではじめて女性に参政権（選挙で投票する権利と、立候補する権利）を認めたのはフィンランドで、1906年のことだった。

イタリアでは、1928年にファシスト党の一党独裁になったので、選挙はかたちだけで意味がなくなってしまった。だから、ほんとうの意味でだれもが投票できるようになったのは、1945年のことなんだ。

おもな国の女性参政権獲得年

1893年	ニュージーランド	1919年	ドイツ
1902年	オーストラリア	1920年	アメリカ合衆国・インド
1906年	フィンランド	1928年	イギリス
1913年	ノルウェー		（男女とも21歳）
1915年	デンマーク	1932年	スペイン
1917年	メキシコ	1934年	トルコ
1918年	イギリス（30歳以上）・	1944年	フランス
	ソ連・オーストリア	1945年	イタリア・日本

ノーラ・ホームズの事件簿』もおすすめだよ）。

　覚悟を決めたサフラジェットたちは、頭を使うことにした。わざと逮捕され、食事を拒んだんだ。そうすれば、政府が非難されるからね。無理やり栄養をとらされたり、笑いものになったりもしたけど、彼女たちは一歩も引かなかった。むしろどんどん仲間を増やし、さまざまな手段を使って自分たちの政治思想を広めた。サフラジェットのボードゲームまでつくったんd。イギリスの首相、ハーバー・アスキスと活動のリーダー、エメリン・パンクハーストの名前をもじって名づけた「パンク・ア・スキス」というゲームは、パブや保守派の少ない地域で大人気となった。

　じつは、すべての女性が投票の重要さを理解し、サフラジェットを応援したわけじゃない。でも、ほんとうの自由っていうのは、選ぶ権利がある状態をいうんだよ。1918年、イギリスで女性の投票が認められると、すぐにヨーロッパじゅうに同じ動きが広まった。いちばん遅かった国は、スイスとオーストリアに囲まれたミニ国家、リヒテンシュタインで、1984年だった。スイスのアッペンツェル・マウサーローデン準州は、1991年まで待たなくてはならなかった。

海賊への転身

鄭一嫂は1775年の清（中国）に生まれ、若いころは遊女として働いていた。1801年、鄭一という6艦隊からなる海賊船団のお頭にさらわれ、プロポーズされる。

1807年、夫の鄭一が死去。数年後、鄭一嫂は世界を震えあがらせる海賊になり、2000人とも4000人ともいわれる艦隊を率いた。

7　歴史は男の人がつくったの？　　65

歴史のなかの子どもと若者

きみは信じられないかもしれないけれど、いまのぼくらが考えるような、「若者」というくくり方・とらえ方は、意外と最近の発明なんだ。

> 社会学的カテゴリーとしての「若者」は、最近の発明だ

発明したのはだれだと思う？　そう、『不思議の国のアリス』の作者、ルイス・キャロルなど、イギリスの知識人たちだ。かれらが19世紀の終わりに少年少女を物語の読者としてとらえたことから、青年期という考え方、つまり、幼児期から成人期のあいだには特別な発達段階があるという考え方が生まれた。

1950年代になると、戦争で多くの人が亡くなったこともあり、若者は新たな消費者層として注目されるようになった。それがブームとして爆発したのが、ビートルズやローリングストーンズをはじめとした60年代や70年代のロックなんだ。

ようするに、子どもが子ども扱いされるようになって、まだ100年ちょっとしかたっていないんだよ。だから、きみも怒っちゃいけない。子ども扱いは、人類の大きな進歩なんだから。

昔の工場では、ほんの小さな子どもたちが、子ども用につくられた小さな機械で仕事をして、給料がわりにビールをもらっていた。古代エジプトには、奴隷として働き、主人の墓に埋められる子どもがいた。

スコットランド女王のメアリ・スチュワートや、1422年に生後9か月でイングランド王になったヘンリ6世みたいに、まだ幼いうちに王さまになったり、婚約したりする子どももいた。ほかにも、

シャルル9世は10歳で王になり、太陽王ルイ14世は5歳でフランス国王の座につき、オットー2世は3歳で神聖ローマ帝国の皇帝になっている。たしかに、かれらには摂政となって助けてくれる人がいた。でも、想像してみてほしい。みんな少しくらい遊びたかっただろうに、国を統治しなくちゃならなかったんだ。

昔の子どもはたいへんだった。社会階級にかかわらず、小さいうちに亡くなる子どもがたくさんいた。貧しい子どもは飢えに苦しみ、裕福な子どもは、マナーや狩り、剣術、乗馬、数学、読み書きと、勉強ばかりの毎日にうんざりしていた。

え？　どんな服を着ていたか気になるって？　いまみたいにラクチンな服を想像しちゃいけない。赤ちゃんのうちは、体をまっすぐにするために布でぐるぐる巻きにされ、5歳になったら、もう大人と同じ服を着せられた。女の子はコルセットだってしてたんだ。

歴史のなかの天才少年

歴史の教科書には、子どもがめったに出てこない。でも、だれかが登場させてあげなくちゃね。きみがやってみるのは、どう？

学校で、テレビを発明したフィロ・ファーンズワースの話をしてみるんだ。14歳のファーンズワースは、テレビの設計図を描いて先生に提出した。あわれな先生は、はじめチンプンカンプンだったけど、ファーンズワースが大人になり、だれがテレビを最初に発明したかで裁判をしたときには、証人となって力を貸してくれた。

あと、点字を発明したルイ・ブライユもいいね。彼が15歳で発明した点字は、いまも世界中で、目が不自由な人の役に立っている。ブライユ自身も小さなころに視力を失ったんだよ。

歴史で語られない少数民族

　歴史ですべての人の話をすることはできない。とはいえ、まるでほかの人より重要じゃないみたいに、ほとんど話題にならない人たちもいる。

　たとえば、昔の西部劇に出てくるインディアンは、頭皮狩りをする「悪者」として描かれてきた。でも、「文明的な」白人は、先住民族や大草原に暮らす3000万頭以上のバイソンに対し、もっと残酷なことをした。

　少数民族や小さな文明には、後世に伝わることなく消えていったものがある。

　「少数民族」の意味をはっきりさせるのはかんたんなことじゃない。でも、ぼくらはこうすることにしよう。ひとつの国に、ほかの人たちと異なる歴史をもつことを自覚している集団がいたら、その人たちを少数民族とよぶんだ。

　アメリカ合衆国に住むネイティブ・アメリカンも少数民族だ。ほかのアメリカ人と同じ国土に住んでいるけど、歴史やしきたりが異なるし（しかも、それらの一部は失われてしまった）、それを自分たちで守りつづけることが難しい。先住民は、自分たちのしきたりや歴史、シンボルや宗教を、何も知らない人がデザイン化して、置きものやTシャツにして使うことが許せない。許さないと、かたく心に決めている。こうして、別の文化に属する人が、ある民族の文化をほんらいの目的とは違うしかたで使うことを、「文化の盗用」という。

　言語や文化、宗教の違う少数民族の人びとにとって、大切なのは、かれらのうちにその記憶を守る人がいることだ。たとえば、イースター島の先住民族の文字であるロンゴロンゴは、19世紀まで使わ

れていたけれど、いまはもう解読できなくなった。ロンゴロンゴの刻まれた木版のほとんどが失われ、文字を読める最後の人たちが死んでしまったからだ。

8
歴史って、なんでこんなにつまらないの？

歴史がつまらないだって？　まさか！
「つまらない」っていうのは、つまらない人間が言うセリフだ。つまらないのはものごとじゃなくて、それが楽しいことに気づけない人間だ。または、難しくて、複雑で、時間のかかることにじっくり取り組めない人間だね。

でも、よく考えれば、いまきみが好きなことも、最初はあんまり楽しくなかったんじゃないかな。サーフボードに乗れるようになったのは、何度も海に落ちてからだった。レッド・ツェッペリンの曲を弾けるようになったのは、何時間もギターのコード練習をしたからだ。卓球で勝利のスマッシュが打てるようになったのは、毎日、壁を相手にラリーの練習をしたからだよね。

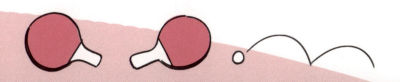

これはスカイダイビングをやっている友だちから聞いたんだけど、その人もはじめは、地上2000メートルから飛びおりるのがこわかったんだって。でも、長年やっているうちに、恐怖よりも楽しむ気持ちのほうが大きくなったらしい。「最初からずっと楽しいことなんて、ないからね」って言ってたぞ。
　歴史だって同じだよ。少しは勉強して、一般的な年表にきみ自身の発見や感動を書きこめるようにならないと、ずーっと大きな謎のままだ。楽しみは外からやってくるものじゃない。手に入れるためには、きみの努力も必要なんだ。
　そんなふうに考えたら、歴史を勉強する気がわいてこない？

だれも知らない物語を探そう！

　いつの時代にも、どんな偉業のかげにも、脇役や無名の人物がいる。そういう人たちのことを知ると、遠い世界の話が急に身近に思えてくる。
　探し方はかんたん。インターネットでエピソードを検索するんだ。「謎の人物」や「知られざる偉人」、「だれも知らない歴史」って入力してごらん。つまらなかった時代が、じつはおもしろい話の宝庫だったことに気づくかもしれない。
　たとえば、ホモ・サピエンスや、ネアンデルタール人とその仲間たちといった、原始人の歴史が長くて退屈だったら、ラスコー洞窟が発見されたときのことを調べるといい。ラスコー洞窟というのはフランスにあって、そのなかには人類の祖先が残した有名な壁画が残されている。
　洞窟を発見したのは、18歳のマルセル・ラビダット青年。彼の

愛犬・ロボットのドジがきっかけだった。穴に落ちたロボットを引きあげようとしたマルセルが、奥に洞窟があることに気づいたんだ。第二次世界大戦の真っ最中の、1940年9月12日のことだった。村の大人たちは戦争で出はらっていた。

マルセルは、町の城に続く伝説の隠し通路を発見したんだと思った。そこで、仲間のジャックにジョルジュ、シモンを呼び、15メートルのロープを伝って洞窟に下りた。そして懐中電灯をつけたら、世界一美しい壁画が広がっていたんだ。

トーマスとアニーの自転車世界一周

トーマス・スティーブンスは、口ひげを生やした、ちょっとイカれたナイスガイだ。仕事を求めてヨーロッパからアメリカへ移住し、1884年から3年かけて、ベロシペードという前輪の大きな自転車で世界一周を果たした。あんな自転車でどうしてそんな長旅ができたのかは、いまだにわかっていない。

その10年後、アニー・ロンドンデリー・コプチョフスキーも自転車で世界一周を成しとげた。23歳だった彼女は、夫と息子を国に残して旅に出て、女性だってやればできるところを見せつけた。

トーマスとアニーは、自転車で世界を一周した初の男性・女性として、歴史に名を残している。

8 歴史って、なんでこんなにつまらないの？

ドラマやマンガで、歴史がもっと好きになる

　歴史に興味をもつには、ドラマやアニメ、ゲームやマンガもいい。なかには、優秀な歴史学者を監修に起用して歴史を忠実に再現したものもある。情報としてちゃんとしていて、ストーリーが魅力的だから、歴史を好きになれるってわけ。

人生が1冊の本に

　伝記は、実在する人物の生涯を本にしたものだ。おもしろくて小説みたいに読めるものや、マンガになったものもある。
　偉人の伝記だけじゃなく、ロックスターや俳優、スポーツ選手や芸能人みたいに、きみがよく知る人物の伝記もある。型破りな人生を歩んだ人もいれば、意志の強さを見習いたくなる人もいる。

　ヘディ・ラマーって知ってる？映画界でもっとも美しいともいわれた女優なんだけど、彼女がほんとうに情熱を注いでいたのは物理学だった。映画の撮影のあいまをぬって特許を取得した技術の一部は、いまの携帯電話にも使われているんだよ。

　ゲーム『アサシン クリード』をしたことがあれば、わかるだろう。あれをやると、学校で習う16世紀のフィレンツェをじっさいに歩いているような気持ちになる。ネットフリックスでドラマ『マルコ・ポーロ』を観るのも楽しいし、『ダウントン・アビー』もいい。『ザ・クラウン』を観たら、世界最高のVIPでウルトラセレブなエリザベス女王のこともよくわかる。好みが分かれるだろうけど、『バンド・オブ・ブラザース』は第二次世界大戦の恐ろしさを伝えるいい作品だ（かなり刺激が強いけどね）。ほかにも、映画『ドリーム』を観たら、数学に秀でた黒人女性たちがいなければ、人類を月に送りこむことなんてぜったいにできなかったってわかるだろう。
　もうちょっと気らくで、でもちゃんとしたものがよければ、日本のアニメもいい。『ベルサイユのばら』はフランス革命直前のフラ

8　歴史って、なんでこんなにつまらないの？　75

ンスを、『エマ』は1895年のロンドンを、『るろうに剣心』は明治時代のはじめの日本を、『キングダム』は古代中国を舞台にしている。『キングダム』は、天下の大将軍をめざす信という若者の波乱万丈の人生を描いた作品だ。

歴史のなかに飛びこめ！

　歴史を自分のものにするいちばんの方法は、歴史上の人物の立場で考えてみることだ。きみだったら、同じ状況で何をした？　もし、真逆のことが起きていたら、もし、あの人物が存在していなかったら、歴史はどうなっていたと思う？
「もしも歴史がこうだったら」と想像して遊ぶと、自分が歴史上の出来事の原因と結果をきちんと理解できているかがよくわかる。映画や小説には、ある出来事が違う方向に進んでいたら世界がどうなっていたかを描いたものがたくさんある。

　たとえば、映画『イエスタデイ』。主人公の売れないシンガーソングライターが目覚めると、そこはこれまでの世界とそっくりな別の世界だった。ふたつの世界のただひとつの違いは、ジョン・レノンが画家になっていたこと、つまりビートルズが結成されなかったことだった……。こんなふうに、歴史上の「もし」が描かれた作品を、歴史改変ものというよ。

　自分の家族が歴史上の人物だったら、と想像するのも楽しいよ。きみのほんとうの家族を歴史上の人物に当てはめて、パパやママが歴史上のあんな場面やこんな時代に、どんな活躍をしたか想像してみるんだ。

　そうやって、まわりを笑わせよう。そしたら、歴史がつまらないなんて思えなくなる。

9

なぜ、戦争の勉強をしなくちゃいけないの？

戦争ごっこをしたことのない人は手をあげてごらん。水風船を投げあったり、水鉄砲で撃ちあったり、おもちゃの剣で戦ったり……。みんな、きっとしたことあるよね。人間ってのはどうしようもない生きもので、放っておくと、何かと理由をつけてケンカをする。戦争はぼくらの一部なんだ。これまでもそうだったし、きっとこれからもそうなんだろう。

ヨーロッパという名の平和

2022年にロシアによるウクライナ侵攻が起こるまでの数十年間は、ヨーロッパの歴史をふり返ると信じられないくらい平和な時代だった。

これはなんといってもヨーロッパ連合（EU）のおかげ。ヨーロッパ連合というのは、ふたたび戦争をしないように、1957年に6か国で創設された国どうしのつながり、ヨーロッパ共同体がもとになっている。2022年現在では27か国が加盟し、ときに激しく、でもかならず話し合いで、意見をたたかわせている。でも、ほんの数十年前までは、たがいに戦車をかまえて相手の領土に攻めこもうとしていたんだよ。

いちばんはじめの戦争

人類学者のマルタ・ミラソン・ラーは、史上最古の争いを突きとめた。ケニアで1万年前に起きた衝突で、27人の男女が亡くなったそうだ。どうして戦いになったのかはわかっていないけれど、財産や国境を守るためじゃなかったことは確実だ。そのころの人類はまだ数が少なかったから、地球を自由に使えたはずなんだ。

中世を舞台にしたあるイタリア映画に、とても印象的なシーンがある。ふたりの騎士が原っぱの真ん中で出会い、たがいに「通してくれ」と頼む。やがて、道をゆずるか、ゆずらないかが名誉の問題となって……、どうなると思う？　そう、ふたりとも剣を抜いて戦うんだ！

いろいろなかたちの戦争

戦争っていうと、弓や銃や、残酷な戦闘を思いうかべるんじゃない？　たしかに、新しい兵器の発明は多くの戦いの行方を左右してきた。たとえば、ポエニ戦争中の紀元前212年には、シラクサの天才、アルキメデスが、太陽の光を集める特殊な鏡を発明し、木でつくられた敵の兵器に火をつけた。

1415年、百年戦争のアジャンクールの戦いでは、イギリス国王ヘンリ5世が、敵の2倍遠くに矢を飛ばせる長弓を使い、数の上で圧倒的だったフランス軍をうち破った。

火薬が発明されると、戦争のあり方はガラリと変わる。騎兵銃や拳銃、小銃、大砲といった新しい武器が登場し、敵と接近して戦う必要がなくなったんだ。

> **戦争**
> 意見の違う相手を暴力でしたがわせるのはよくないことだ。でもまれに、それしか方法がないと思いこんで、暴力をふるってしまう人がいる。そんなふうに、国が国に対して暴力をふるうのが戦争だ。

飛行機や潜水艦が誕生すると、戦争の舞台は空や海にまで広がった。

でも、かならずしも武器の力を借りなくても、敵国を攻撃する方法はあるんだよ。

たとえば、貿易戦争ってやつがある。貿易戦争で征服されるのは、市場やお店、みんなが買いものをするときの「好み」だ。宣戦布告のない不思議な戦争で、広告とか、複雑な協定、敵を妨害するための戦略が、おもな戦いの手段となる。

コカ・コーラやファストフードといったアメリカ生まれの商品やライフスタイルを見ればわかるように、戦後はずっとアメリカが自

9　なぜ、戦争の勉強をしなくちゃいけないの？　81

国の商品を売る名人だった。音楽や映画、テレビ番組など、文化を広めるときもそうだった。ヨーロッパではわりと落ち着いた戦争だったけど、その影響は大きくて、戦争を挑まれた国の市場はかなり苦しんだんだよ。

　いまは中国が、安くて競争力のある商品で世界中の市場を侵略しつつあるって、きみも聞いたことあるよね。

　このほかに、サイバー戦争ってのもある。サイバー戦争での領土は、コンピュータのデータが集まる仮想空間で、攻略の対象はファイアウォール（防火壁）、敵の砦に忍びこむための作戦は**トロイの木馬**とよばれている。この戦争では、海賊をハッカーという。かれらの武器はコードとプログラム。意外かもしれないけど、サイバー戦争も残酷になることがある。直接的な征服や殺人はおこなわれないけど、通信をじゃましたり、貯金を一瞬にして消したりできるんだ。

トロイの木馬

トロイの木馬は、無害なふりをしてコンピュータに侵入し、あとから有害な中身を解き放つプログラムだ。トロイア戦争中、ギリシア軍が、巨大な木馬に隠れてトロイアの城内に忍びこみ、夜のあいだに攻撃をしかけて勝利した故事からとった名前だよ。

数字の話

2018年9月、ふたりのイラン人ハッカーが、SamSamというウィルスを使ってアメリカのサンディエゴ港をストップさせ、600万ドル以上（日本円にして約6億6000万円以上）の身代金を脅しとった。

ひとつの戦争をみんなで戦う

　文明が生まれるはるかまえは、女性も男性と同じように戦っていたかもしれない。でも、しだいに戦争は男性だけの、それも一部の男性のものとなった。

　古代ギリシア・ローマ時代、軍隊に入るのはお金を稼ぐための手段だった。古代ローマの将軍、マリウスは、もっともすぐれた兵士は財産を持たない貧しい市民だと考え、志願者だけを兵にした。彼らは生活のためだけに軍隊に入った。成果を上げても、わずかな土地がもらえるだけだった。おっと、将軍の場合は話が別だよ。戦争の資金が用意できたから出陣できた例もある。

　中世（5世紀から15世紀くらいまでの時代）に各地の封建領主（領地と領民をもった地域の支配者）が集めた兵士は、もっと雑多だった。たいした武器を持たない農民もいれば、カラフルな軍旗で隊を率いるお金持ちの騎士もいた。

電撃戦、サイバー戦争、貿易戦争……。いったい、いくつの戦争がある？

　現代に近づいて国の産業が発展し、身分制度がなくなって人びとが自分を国民として意識するようになると（つまり「国民国家」が誕生すると）、国民全員が戦争に巻きこまれるようになった。兵役ができ、すべての男子が一定期間、軍隊に入る国では、戦争はどの家庭にも降りかかる問題になった。

　日本についていえば、昔は戦うのは武士だけだった。13世紀後

半の元寇（モンゴル軍が日本に攻めてきた出来事）のときに、戦ったのは武士だけだ。江戸時代も同じで、武士だけが戦う身分だった。

でも、1868年の明治維新で、身分制度がなくなって、みんな同じ国民になった。日本は国民国家に生まれかわったんだ。そして徴兵令という法律で、だれもが戦争にいくしくみができた。それから第二次世界大戦が終わるまでは、どこにでもいるふつうの人たちが戦争にいったんだ。

戦争ではもちろん、英雄たちの伝説も生まれる。アキレウス、項羽、曹操、アーサー王、源義経、チンギス・ハン、豊臣秀吉……。でも、名前が残る人ばかりじゃない。第一次世界大戦がはじまると、戦場で死んだ人たちが、英雄の集団として扱われるようになった。名前のわからない戦死者には「無名戦士」という名前が与えられ、その功績が称えられた。そんな人がたくさんいた。

すべての人に手当てを

19世紀の中頃、世界でいちばん大きな人道組織、赤十字社ができた（イスラム諸国では赤新月社という）。同じころ、国際人道法も誕生した。こうして人類は史上はじめて、国籍や民族、宗教や敵味方の区別なく、兵士も市民も、戦争で負傷したすべての人を手当てし、助けることに決めたんだ。

戦争と技術の進歩

戦争が起きると、被害を受けた国では、経済や発展が完全に止まってしまう。でも、戦争を有利に進めて勝利した国では、反対のことがよく起こる。

技術革新が急激に進み、敵をやっつけるために考案されたものが、日常生活に使われるようになるんだ。武器や機械、通信手段、素材、洋服、兵站（部隊を移動させ、物資を届ける方法）といったものが改良され、これまでとは逆に、命を救う道具や使い道が見つかる。

　たとえば、貨物列車は、商業用はイギリスではじまったけれど、はじめて大がかりに使われたのは、ビジネスをしたいふたつの都市をつなぐためじゃなかった。1853年から1856年までのクリミア戦争で包囲された都市、セヴァストポリに移動病院を設置し、兵士たちに物資を届けて援護するためだったんだ。

　いまでは平和に使われている技術にも、はじめは戦争で使われていたものがあるんだね。

9　なぜ、戦争の勉強をしなくちゃいけないの？　　85

戦争の前線から、ぼくらのうちへ

ファスナー

ギデオン・サンドバックという人物が、一瞬で完全に軍服を閉じるしくみを開発。それがファスナーで、1930年代に一般にも使われるようになった。

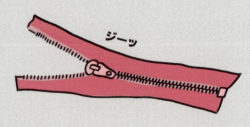

粘着テープ

第二次世界大戦中、軍では手早く補修をするために、防水性の素材が必要だった。そこで、ウェスタ・スタウトという女性が粘着テープを考案した。彼女は、ふたりの兵士を子どもにもつお母さんだったんだよ。

電子レンジ

電子レンジは、レーダー開発の現場から生まれた。1945年、アメリカの兵器製造会社の技師、パーシー・スペンサーが、研究でマイクロ波を生む管を扱っていたときに、ポケットのチョコバーが溶けていることに気づいた。ポップコーンでも試してみたところ、これが大成功だったってわけ。

ドローン

いまでこそ、おもちゃとしても売られているドローンだけど、もとは軍事目的で開発された。いまも、一定の重さを超えるドローンは航空法にしたがわなくちゃならないんだ。

どこまでも飛んでくぜー！

カーディガン

上着のカーディガンは、クリミア戦争中の1854年に、イギリス軍のカーディガン伯爵によって考案された。戦争中は、負傷した兵士のセーターを、頭から脱ぎ着させるのがたいへんな手間だった。そこで、カーディガン伯爵が、セーターを前開きにしてボタンで留める方法を思いついたんだ。

日焼けマシン

第一次世界大戦末期、くる病にかかったベルリンの子どもたちが紫外線を浴びてじょうぶになるようにと、小児科医のクルト・フルドシンスキーが日焼けマシンの原型を考案。その後、改良が加えられて、現在の日焼けマシンが誕生したんだって。

9 なぜ、戦争の勉強をしなくちゃいけないの？　87

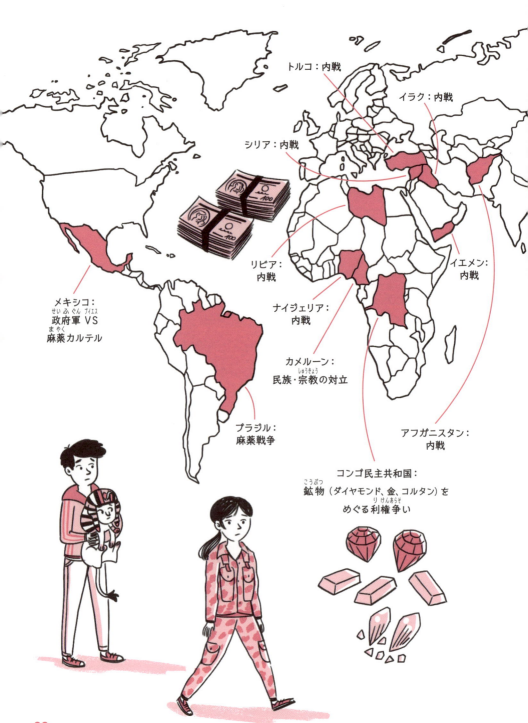

10
地図から何がわかるの？

あの戦いの結果はどうなった？　ゾウを連れた将軍ハンニバルは、どうやってアルプス山脈を越えた？　登山家はどうやってエベレスト登頂に成功した？　そんなことが知りたいときには、地図を見るのがいちばんだ。

地図というものは、さまざまな情報がつまっている。そこには数々の不思議が眠り、小道や国境が描かれ、眺めていると、人びとの考え方まで見えてくる。地図を描いたことがなかったら、きみの家のなかを地図にしてごらん。いつもと違ったふうに見えるはずだよ。

歴史上もっとも古い地図は、現在のイラク南部で出土した紀元前7～6世紀の粘土板だ。そこではバビロニアが世界の中心になって

89

いる。じつは、これは大事な情報なんだ。地図は、どこを中心にするかが基本。描く人が変われば違う地図になるのはこのためだ。ローマが中心になることもあれば、東京やエルサレムが中心になることもある。たとえば、李氏朝鮮時代につくられた疆理図という世界地図では、ヨーロッパははじっこに少し見えるだけで、ちっとも重視されていなかったことがわかる。

　いまでは、スマホで地図を見ると、きみが世界の中心にいて、そこから道がのびている。でも、昔からこうだったわけじゃない。こんなに便利でもなかった。

　地球の表面を広げて平面に描いた地図を見れば、「きみ」という存在がどれだけちっぽけかわかるだろう。こんなりっぱな地図は、数世紀前まで存在すらしていなかった。発明したのは、ゲラルドゥス・メルカトルという16世紀の地理学者だ。

　ひょっとしたら、きみの頭のなかには、「この大陸はこのぐらいの大きさ」っていうイメージがあるかもしれない。でも、地図とじっさいの世界は別ものだ。違う描き方の地図を見たら、きみの「世界観」はきっと変わる。インターネットで、アルノ・ピーターズの世界地図を検索してごらん。そうすれば、ぼくが何を言いたいのか、わかってくれると思う。

　地図の力って、すごいよね。

> スマホの地図では、きみが世界の中心で、きみから道がのびている

地図と移動

ぼくら人間は、これから行く場所や、これまでに行った場所を地図にしてきた。針路や道路を線でなぞり、遠くの国々に思いを馳せ、その国に名前をつけたり、大きさを想像したりした。

いまでは、情報を図で表すために、地図を使うことが多い。きみも、テレビや新聞で、どのくらいの移民がどこを通って移動したかとか、戦争で軍隊がどこまで侵攻したとかってことを、地図にして説明するのを見たことがあるんじゃない？

人間は、いつの時代も絶えず移動してきた。歩みが止まることはけっしてなかった。それは、ぼくらがじっさいに歩みつづけたからだけじゃなく、歩みつづけようとしていたことが原因なのかもしれない。『指輪物語』に出てくる「中つ国」のような、実在しない場所にまで行こうとした人間もいた。伝説やウワサでつくりあげた地図を信じてね。

地図は北が上

ヨーロッパの古い地図では、東、つまりオリエントが上にあった。だから、いまでも西洋の言語では、方角を確かめることを「東を向く」と表現する（英語ならorientという）。

のちの時代に、北極星の見える北が上になった。地図を使うのは船乗りが多かったから、そのほうが便利だったんだ。

★ 北極星

10 地図から何がわかるの？　91

他人の領土に住もうとして、集団で移住した人もいる（そういう人たちを「入植者」というよ）。アメリカがいい例だ。入植者はその土地の文明にとってかわり、先住民族と共存していた動物を絶滅に追いこみ、農場や生活の場をつくって町を開いた。新大陸「発見」からの1世紀でおよそ24万人、その後の2世紀でおよそ5000万人のヨーロッパ人が、新世界アメリカに移住した。そのころの入植者たちは、この地の西部開拓を神からの使命だと信じていた。その信仰がフロンティアとよばれた開拓の最前線を生み、それが地図に描かれることになった。

　仕事を求めて歴史的大移動が起きたケースもある。1861年から第一次世界大戦までがそうだった。900万人がイタリアを発ち、よりよい暮らしを夢見てアメリカ大陸に渡った。そのなかには、億万長者になって帰国する人もいたんだ。

　このほかに、自然の脅威が移住の原因となることもある。オーストラリアの住民が約6万5000年前に南インドからやってきたのは、自然災害が理由ではないかといわれている（その人たちからすれば、18世紀末に囚人を引き連れたイギリス人がやってきて自分たちの土地を植民地化したのは、予想外のことだったろう）。3000年前頃には、インド北部のパンジャーブ平野からガンジス平野へと移動した人が大勢いた。

　これからの30年では、気候変動で砂漠化が進み、1億5000万人が移住しなければならなくなるといわれている。

> **数字の話**
>
> 2020年は、世界の避難民4000万人のうち、3000万人が環境災害の被害者だった。

国と国を区切る国境

　あらためて世界地図を見てみよう。世界地図では、国が色で塗りわけられ、国境線が引かれているよね。

　国境には、川や山脈といった自然の地形を利用したものもあれば、アフリカの国境みたいに、地図上にまっすぐ引かれたものもある。これは、19世紀末にアフリカを征服して植民地化したヨーロッパの強国たちが話し合いで決めたんだ。

　いやいや、地面を見たって、線は引かれてないぞ！　あったとしても、道路標識や石碑くらいだ。

　人間は、昔からいろいろな方法で領土を区切ろうとしてきた。

　古代エジプトのファラオ（王）たちは、国境の外に石碑を置き、

文字をびっしりと刻んで、ここから先は自分の国だと伝えた。エジプトではナイル川がしょっちゅう氾濫したから、洪水のたびに農地の境目を正確に測りなおさなくちゃならなかった。計算をまかされたのは、幾何学を得意とする訓練された測量士たちだった。

　古代ローマ人は、壁や柵で領土を区切るのがきらいだった。イギリス北部に残るハドリアヌスの長城は別として（ちなみに、このまわりはいまも自転車で走れる）、飛び飛びに国境を示すほうが好きだった。軍隊をあちこちに置いて、敵の侵入を防いだんだ。

　中世には、封土（諸侯の領地）や自治都市、都市国家ごとに境界が引かれていた。それが領主や国王が支配する初期の国家となり、少しずついまのような国民国家になっていった。

　1648年にウェストファリア条約ができ、国境のなかで起きたことは、よその国の干渉を受けずに自分の国で決めてよいことになった。これを「国家主権の原則」という。もちろん、戦争がはじまったらそんなことなくなっちゃうんだけど、ま、それはまた別の問題だな。

国境だらけの町

世界でいちばんヘンな国境は、ベルギーのバールレ＝ヘルトフと、オランダのバールレ＝ナッサウという町の境目だ。国境が入りくんでパズルみたいになっているんだ。オランダのなかにベルギーがあるし、なんと、そのなかがまたオランダってこともあるんだよ！

ちなみに、家のなかを国境線が通っている場合、その家の人は正面玄関があるほうの国の人ってことになるんだって。

ウソ？ ホント！

国のなかにほかの国は存在しない？　ブー！　ひとつの外国に完全に囲まれた国は、3つある。そのうちふたつは、イタリア半島にあるバチカン市国とサンマリノ。3つめは、南アフリカ共和国のなかにあるレソト王国だ。

パスポートは、国境越えの歴史の史料

　昔は、人の移動を細かく監視するしくみがなかった。国境じたいも穴があって、あいまいで、管理があまかった。いまは国を越える移動には、**パスポート**っていう身分証明書が必要だ。パスポートには、その人がどんなところへ行けるのか、これまでどこに行ったのかが書かれている。

いろいろなパスポート

　ノルウェーのパスポートに紫外線ライトを当てると、オーロラのホログラムが浮かびあがる。カナダのパスポートなら、国樹であるカエデの葉っぱが見える。フィンランドのパスポートをめくれば、トナカイがパラパラ漫画みたいに動きだす。

　イギリスには、海外へパスポートなしで行ける人がひとりだけいるんだけど、だれかわかる？　そう、エリザベス女王だ！　イギリスのパスポートを発行しているのは女王自身だからさ。

いま使われているパスポートは、まだ誕生して100年ちょっとしかたっていない。1920年11月に、パリで開かれた国際連盟の会議で制定されたんだ。

> **パスポート**
> パスポートってことばには、ラテン語のpassus（歩み）とportum（港）という単語が隠れている。「港を通過するときに必要な身分証明書」という意味なんだ。

1873年に出版されたジュール・ヴェルヌの『八十日間世界一周』っていう小説は、読んだことある？　主人公のフォッグ氏は、パスポートに記録を残したくて、いらないはずの査証のスタンプをパスポートに押してもらう。一方、彼が国外逃亡をもくろむ窃盗犯じゃないかと疑う刑事のフィックスは、そんなフォッグ氏についてこんな陰口をたたく。「パスポートは、正直者にとってはじれったいものにすぎませんが、悪党どもにとっては逃げる助けとなるのです」。

国境を越える人には物語がある。だから、かれらは歴史になる。スタンプが押され、出入国の日付が記されたパスポートは、その史料なんだよ。

国境と身分証明書のかかわりについてもっと知りたかったら、『Papers, please』っていうゲームをやってごらん。めちゃくちゃおもしろいぞ。ゲームできみは入国審査官になる。だれを入国させるかで、きみ（とその国）の運命が変わるゲームなんだ。

11
「歴史が変わる」って、どういうこと？

歴史は、だれにとっても同じかって？　答えは、ノー！
……というか、同じといえば同じだし、違うといえば違う。

歴史上にはたくさんの出来事があり、それぞれがどこかで別の出来事につながっている。でも、何を歴史上重要な出来事と考えるかは、世界中で同じとはかぎらない。

きみは、1066年と聞いて、なんの年だと思う？　たぶん何も思いうかばないんじゃないかな。でも、イギリス人なら、ヘイスティングスの戦いの年だとすぐわかる。

歴史の学び方も国によって違う。「先史時代から現在まで」といったぐあいに、年代順に歴史を勉強する国ばかりじゃない。アメリカではテーマごとに歴史を勉強する。だから、第二次世界大戦のあとに第一次世界大戦について学ぶこともあるし、1950年代のあとに中世を学ぶこともあるんだよ。

歴史を動かす革命

　歴史のなかで、何かがものすごい速さで変わる瞬間がある。それはときに、暴力をともなうこともある。
　そうした変化を「革命」という。たとえばアメリカ独立革命では、社会に対する考え方が一変した。情報革命では、生活のしかたやコミュニケーションのあり方がガラリと変わった（ちなみに、情報革命は急に進んだ気がするけど、じっさいには長い時間がかかってるんだよ）。

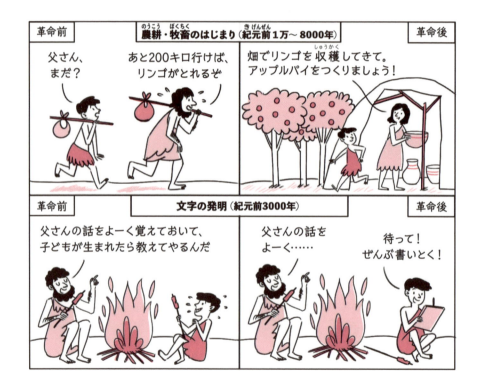

歴史はくり返す？

「歴史はくり返す」ともいうけれど、そんなことはない。事件が起きるかどうかを決定するものって、なんだかわかる？それは「原因」と「条件」の組み合わせなんだ。

「原因」っていうのは、出来事を引き起こす行動のこと。「条件」っていうのは、その出来事が起きる可能性を左右するものだ。

サラエボ事件（33ページ）を例に考えてみよう。テロリストのプリンツィプが大公をピストルで暗殺した。この事件が起こる「条件」は、プリンツィプには大公を暗殺したいという動機がじゅうぶんにあったこと、そして彼がピストルを手に入れていたことだ。「原因」は、彼がピストルを撃ったこと。

歴史上の出来事がくり返されるには、似たような原因だけじゃなく、同じタイミングで同じ「条件」もそろわなくちゃならない。だから、歴史がくり返される可能性はとても低いんだ。

過去の出来事を理解し、学習することは、おおいにきみのためになる。過去の出来事を現在と比較できるようになるからだ。状況が似ていると思っても、同じ結果になるわけじゃないんだよ。

12
どんな出来事も歴史になるの？

　ここまで読んだきみはもうわかると思うけど、歴史は物語の数だけ存在する。世界の各国の歴史に、ひとりひとりの歴史。音楽や美術、サッカーやゲームの歴史に、ひげそりクリームや旅行や自転車なんかの発明の歴史（自転車が誕生したときには、「女が自転車に乗るなんてはしたない」って考えられていた）。

　だから、大人と対立してばかりの若者にも歴史があるし、ずっと注目されてこなかった女性にも歴史がある。女の人は、20世紀に入って少しずつ声を上げ、自分の物語を書くようになった。なかには歌で表現する人もいた。自分の物語を伝える手っとり早い方法のひとつが、ロックだった（いまもそうだね）。いまならユーチューバーになるという手もある。まったく無名だった人物が、じょうずな

105

写真や、世界一気味の悪いスライムのつくり方で有名になる。これはすごくいいことなんだ。

　どんな分野にも、どんな学問にも、とくべつな記号や専門用語が存在する。なかにはわかりにくいものもある。植物の学名とか、元素記号とか、数式とか。

　歴史の語り方にも決まりはある。歴史を語るためのことばは、基本的に、それが書かれたときに使われていたものだ。当時のことばで書かれた史料を調査し、原因、条件、結果を特定することで、その出来事がなぜ、どのようにして起きたのかを再現するのが、歴史という学問なんだ。

みんなの歴史と個人の記憶

　人類が共有する歴史という領域のわきには、記憶という個人の領

域がある。たとえば、サッカーのワールドカップの優勝パレードを思いうかべてみてほしい。もし、それがきみの国のチームなら、そしてきみがサッカーファンなら、そのパレードはきみの人生の時間と強く結びつくはずだ。ひとつの出来事について同じ記憶をもつ人が増えると、それは集団の記憶になるけれど、そのなかには、たくさんの個人的な記憶があるんだよ。

　きっときみは、〇〇記念行事や××記念式典に参加したことがあると思う。過去の出来事を思いかえすための会さ。いい出来事の場合もあれば、悪い出来事の場合もあるね。みんなで立ちどまって、その出来事について考え、話し合い、その出来事を忘れないための展示や出しものを見る。毎年、世界中で開かれる記念行事もあれば、10周年や25周年、50周年と決まった年に開催されるものもある。その国にしかない記念日もあるよ。たとえば、イタリアの４月25日は解放記念日だ。ファシスト党やナチ党の政治体制から解放された日を覚えておこうって、ぼくらが政治の場で決めたからだよ。

　いまでは、インターネットの影響で、記憶のされ方が大きく変わり、それと同時に、「忘れられる権利」が重要になった。たとえば、20歳のときに１度だけ麻薬に手を出したという情報が、40歳になってもインターネットに残っていたら、どうする？　ばれたら、会社をクビになるかもしれない。子どもがいじめられるかもしれない。もうすっかり反省して償いが終わっていても、人生をやりなおせないなんて、あんまりだろ？　そんなときに特定の出来事を忘れてもらう権利を、「忘れられる権利」という。いずれにしろ、長い時間がたてば、いくつかの出来事は話題にならなくなり、重要でもなくなる。こうしてみんな、先へと進んでいくんだ。

12　どんな出来事も歴史になるの？　107

今日は、なんの日？

国際デーのなかから、大事なものやおもしろいものを紹介するよ。

1月27日：ホロコースト犠牲者を想起する国際デー
2月13日：世界ラジオ・デー

3月8日：国際女性デー
3月25日：奴隷及び大西洋間奴隷貿易犠牲者追悼国際デー
5月第1日曜日：世界笑いの日

5月17日：多様な性にYESの日
6月5日：世界環境デー

6月最終金曜日：職場に犬を連れていく世界デー

7月6日：国際キス・デー
7月30日：国際フレンドシップ・デー

9月25日：世界夢デー
10月4日：世界動物デー
10月24日：国連デー
11月10日：平和と開発のための世界科学デー
11月19日：世界トイレ・デー

11月25日：女性に対する暴力撤廃の国際デー
12月10日：人権デー

13

勝者が歴史を
つくるって、ほんとう?

きみが決勝戦で勝ちたいのは、どうして?

　勝つと気持ちがいいから? そりゃ、そうだな。でも、勝てば優勝チームの一員として名前が残るっていうのも、理由のひとつかもしれない。負けた人より勝った人のほうが、人びとの記憶に強く刻まれるからね。

　しかも、勝った人間は、勝利にいたるまでの道のりを自由に話すことができる。負けた側の言い分は、話題にとりあげてもらうまでに何年もかかることがある。

　だから、歴史は勝者がつくるっていうのは、そのとおりなんだ。イヤな話だけど、勝った人間のほうが、かんたんに話ができるんだよ。

　とはいえ、ほんとうはだれが勝って、だれが負けたのか、よく考えなくちゃならない場合もある。

壁をつくって勝ったつもりになったけど

　1961年のある夜、ドイツという国が、東と西に分かれていたときのこと。東ベルリンから西ベルリンを切りはなすための壁がつくられた。ソビエト連邦（ソ連）と同盟関係にあった（事実上従属していた）東ドイツが、東側の住民を西側に行かせないように壁をつくったんだ。その結果、町は28年にわたって分断されることになった。

　壁の長さは155キロ。じっさいには壁は二重になっていたから、壁を越えるにはそのあいだの空間も通らなくてはならなかった。

　壁の向こうには西側の国々がつくりあげた個人の自由という幻影があり、反対側ではソ連による共産党独裁の抑圧がおこなわれていた。

　人の出入りを管理するため、国境にはいくつもの検問所が置かれた。いちばん有名な検問所、チェックポイント・チャーリーの跡は、いまでも見学できる。

　あらゆる壁と同じように、このベルリンの壁も越えようとする人間が現れた。逃亡しようとしたのは少なくとも5000人。そのうち140人が国境警備員に殺さ

れ、西側にたどり着けたのは、わずか500人だったといわれている。じっさいにはまだまだ調査中で、正確な数はわかっていない。

1989年11月9日、ついにベルリンの壁が崩壊すると（つるはしで壊す映像は、きみもきっと見たことあるよね）、壁にまつわるたくさんの物語が語られだした。脱出に成功した人、失敗した人、たくさんの物語と壁のかけらが残るだけ。いまとなっては勝者も敗者もいない。

> ベルリンの壁はもはや、ただのイヤな記憶でしかない

13 勝者が歴史をつくるって、ほんとう？　113

東ドイツからの脱出

1）気球に乗って

いちばんド派手な脱出劇をくり広げたのは、ペーター・シュトレルツィクとギュンター・ヴェッツェル。家でシーツと布を縫いあわせて、熱気球をつくったんだ。最初の2回は失敗したけど、1979年9月16日に上空2000メートルを18キロ飛行し、みごと西ドイツにたどり着いた。

2）ロープを伝って

1963年、ホースト・クラインは、使われなくなった高圧電線を伝って壁を越えた。転落して腕を骨折したが、脱出は成功した。

3）ダッシュで

世界一有名な脱出者は、警察官のハンス・コンラート・シューマンだ。東ベルリンで国境の警備にあたっていたシューマンは、持ち場を離れて鉄条網を飛びこえ、西ドイツの警察車両に保護された。その猛ダッシュの瞬間をとらえた写真は、世界中のメディアにとりあげられたんだよ。

4）列車で

機関士のハリー・デターリングは、終着駅で列車を止めず、壁の向こうの西ベルリンへと続く線路をつき進んだ。何も知らずに乗っていたお客さん16人を西側で降ろしたけど、そのうち7人は東側にもどることを選んだ（家族が心配だったんだって）。

5) エアーマットに乗って

1975年、インゴ・ベトケは友だちといっしょに柵と地雷原をくぐり抜けてエルベ川にたどり着き、水遊び用のエアーマットをふくらませ、こっそりこいで脱出した。

6) 矢を使って

1983年、ミヒャエル・ベッカーとホルガー・ベトケは東ベルリンの高い建物に登り、西側の建物に向かって、金属ロープを結びつけた矢を射った。それを、さきに西側へ脱出していたホルガーの兄のインゴ・ベトケ（**5の人物**）が建物に結びつけると、かんたんなロープウェイをつくって脱出したんだ。

7) 西側から迎えにいって

飛行機の操縦訓練を受けたインゴとホルガーの兄弟は、1989年、ソ連軍に似せた小さな飛行機に乗りこんで東ベルリンにもどり、残された3番目の弟、エックベルト・ベトケを救出した。

8) 水にもぐって

フーベルト・ホルバインは、ダイビングスーツにシュノーケル姿でベルリンの中心を流れる冷たいシュプレー川にもぐり、脱出に成功した。

勝者のいない戦いもある

　戦争で明確な勝者が生まれるとはかぎらない。
　たとえば、5世紀頃に西ローマ帝国が分裂し、そこにつぎつぎとゲルマン人の国家が誕生したときのこと。これらの王国が誕生したきっかけは、外からやってきたゲルマン人が、ローマ帝国の領土に定住を決めたことだった。
　ゲルマン人の定住は、平和に進むこともあった。とくに最初のうちは、兵士や農民が必要だったから、かれらも歓迎されたんだ。とはいえ、侵略がおこなわれることもあった。つぎからつぎへと新しい部族が押しよせ、それまでいた部族をけ散らしていった。
　こうしたゲルマン人の王国では、昔からいたローマ人の貴族と征服者たちが手を組むこともあった。ローマ人は新しい王を支持し、ゲルマン人を自分たちのルールにしたがわせ、自分たちの風習にとけこませようとしたんだ。一方、征服者のゲルマン人は、ローマ人を守り、領土を広げることを約束した。
　こうして複数の民族が混ざりあい、新しい文化や風習がたくさん生まれた。たとえば、ゲルマン人の話していたことばがローマ人のことばにとりこまれたり、ローマ人のことばにゲルマン人のことばがとり入れられたりして、新しい単語や表現がたくさん生まれたんだ。
　もちろん、この方法ですべてがうまく融合したわけじゃない。町そのも

> **勝った側と征服された側が手を組むことで、新しい文化や言語が生まれることもある**

のや法律、伝統、芸術作品や建築物など、多くのものが失われ、破壊された。でも、その一部は生きのこり、修道院で大切に保護され、守られていった。

プロパガンダで、すべてうまくいく？

　事実を伝えるためではなく、政治的な支持を得たり、社会の怒りをあおったりするために、何かを伝えたり、隠したりすることがある。これが、**プロパガンダ**とよばれる活動の基本だ。

　プロパガンダのしくみは単純だ。たとえば、きみがこんな話を聞かされたとしよう。「われわれはトカゲと闘わなくてはならない」「トカゲはしっぽを切っても生えてくるほど強い生命力をもつ」「トカゲはすべての悪の根源だ」「トカゲは意外な人間に化けている」「トカゲは世界征服をたくらんでいる」……。すると、ある日突然、きみのトカゲを見る目は変わってしまう。

　プロパガンダでは、シンプルでわかりやすいメッセージが、スローガンや画像となって広められていく。何度も何度も目にするようになると、だんだんと、それはみんなが知っていることで、自分だけが知らないんじゃないかと思えてくる。

　プロパガンダが効果的なのは、だれかが疑いはじめるまで。だから、国家的なプロパガンダは、事実を報道するメディアや、自

> **プロパガンダ**
>
> 「プロパガンダ」ということばは、「伝えひろめる」という意味のラテン語propagareからきていて、世論や、人びとの心に影響を与えるためにしくまれた活動を指す。広告と違うのは、商品を売ることではなく、思想を広めることを目的としていることだよ。

由に意見を言えるインターネットなどを規制してしかけられることが多いんだよ。

検閲って、なに？

　時代や国によって、書いちゃいけないことばや、見聞きしちゃいけないことばがある。

　そういうことばは消されてしまう。つまり、「検閲」に引っかかったんだ。検閲は、国家権力が自分にとって都合の悪い情報を発表させないようにすることだ。これと似たものに、マスメディアなど業界団体による「自主規制」というのもある。あとから面倒になりそうな表現を表に出さないようにするんだ。

　「風紀を乱す」と判断されて、もとのかたちで発表できなかった歌はいくつもある。でも、「よい風紀」なんて、時代によって変わるものだ。1970年代には、キンクスというイギリスのロックバンドが、歌詞のなかの「ベッド」や「コカ・コーラ」を別のことばに変えさせられた。へんな話だよね。

　検閲には、いろいろな種類がある。軍事にかかわる特定の場所の位置や極秘情報にふれようとしたとき、それが消されることがある。政治やプロパガンダが目的の検閲は、統治者と対立する人の自由を制限するために使われることが多い。検閲は歴史上ずっと存在したから、歴史学者が史料にあたるときはかならず、「ここに書かれていることは信じていいのかな？　それとも、検閲が入ったのかな？」と考えなくちゃならない。

　かつては書物がもっとも重要な情報源だったから、検閲は比較的かんたんだった。でも、鉄道や電信機が発明されると、情報はそれ

までよりも速く、だれのチェックも受けずに移動するようになった。電話、テレビ、パソコンと進化したいまでは、検閲もつぎつぎとアップデートしなくちゃならない。

　中華人民共和国のインターネット検閲は、世界でもトップクラスの精巧さを誇る。万里の長城をもじり、親しみをこめて「防火長城」とよばれ、気に入らないものをすべてフィルターにかけている（つまり、ブロックしている）。グーグルや、フェイスブック、ライン、ツイッターといったほかの国で使われているあらゆるSNSが、中国では政府が管理する別のアプリで代用される。そうすれば、政府は気に入らない意見を投稿した人に、より早くアクセスすることができるからね。

14
権力って、なに？

　権力があると、できることが増える。映画に出てくる悪者は、だれも逆らえないような権力をほしがるし、権力をにぎることにこだわる人間は、だいたい、権力をひとりじめしたがるものだ。

　歴史と権力は、つねにセットだ。すんなり支配を受けいれてもらうためには、歴史が必要なんだ。

　え？　勉強っぽくてイヤだって？　それなら、映画『ロード・オブ・ザ・リング』を思い出してほしい。ゴンドールの王の血筋をひくアラゴルンは、まわりに受けいれてもらうために身の上話をしたよね（「わが名はアラゴルン。アラソルンの息子だ。エレスサール、すなわちエルフの石や、ドゥナダン、イシルドゥアの末裔、ゴンドールのエレンディルの息子ともよばれている」）。すると、多くの人が、彼を王として受けいれた。「正当な理由」があると感じたからだ。

　いったいどうして、かれらは「正当だ」と思ったんだろう。それは、アラゴルンの歴史が王にふさわしいものだったからだ。

王さまという発明

　国王や王妃は、太古の昔から存在した。いまに伝わるもっとも古い王の記録は、シュメール王年表だ。高さ20センチほどの直方体の横4面に、人類をおそった大洪水以前から紀元前1753年のイシン王朝最後の国王まで、歴代のシュメール王の名が刻まれている。

　ただし、この年表には実在した人物だけでなく、神話の登場人物もふくまれる。名前が出てくる国王のなかには4万年以上生きたとされる人もいるんだ。

　社会には、役割というものが存在する。これはとても便利なんだよ。役割があるから、きみは、はじめて会った人にもどう接すればいいかわかる。警察官と話すときにいつもと違うしゃべり方をするのは、制服を見てその人が警察だってわかるからだよね。ブランドのお店に行ってだれが店員かすぐわかるのは、みんながおそろいの

わしゃ、3万歳。
まだまだ元気じゃ！

制服（たとえば特別なTシャツ）を着ているからだ。王っていうのも、役割の一種なんだ。

　かつては、王や王女こそが権力をもっていた。でも、いまは、そんなことはない。いまの時代、権力をもつのは特定の人物や役割じゃなく、明確な中心のない経済ネットワークだ。お金と権力は会社から会社へどんどん移動していく。アマゾンやアップル、グーグルやマイクロソフト、テスラのような多国籍IT企業の社長だって、今日は巨大な力をもっているようだけど、明日もそうとはかぎらない。

　国王はかつて神の意志で決まるとされ、王冠をかぶせる戴冠という儀式によって、「つくりだされて」いた。

　古代エジプトでは、ファラオ（王）をつくるのに1年かかった。お祝いの儀式に丸1年必要だったからだ。古代ローマの皇帝は、拍手喝采で軍に迎えられ、王位を表す布バンドを授けられた。

　ほとんどの人びとがキリスト教徒だったヨーロッパの社会では、教会のトップであるローマ教皇が、大きな権力をもっていた。国王に王冠をかぶせるのも、ずっと教皇の仕事だった。中世も続いたその慣習を変えたのは、ナポレオン・ボナパルトだ。

　彼はイタリアの王になるときに、教皇からロンバルディアの鉄王冠を奪い、みずからの手でかぶった。キリストが磔になって死んだ十字架の釘でつくったとされる、キリスト教徒にとっては大切な王冠だったのに！（フランス皇帝になるときの戴冠もみずからおこなった。）

　この行為によって、ナポレオンは、教皇や教会から自分自身へと、つまり人間へと権力を移行した。人びとはなんらかの方法で人間をボスにすることを望んでいたんだ。もちろん全員がそう思っていたわけじゃないけど、それはまた別の問題だね。

14　権力って、なに？　123

プリンセスのティアラ

皇太子妃・プリンセスには、王家のコレクションでもっとも華麗なジュエリーが与えられる。そう、ティアラだ。

宝石をちりばめた小さな王冠には、世界中から注目が集まる。

ヘイロウ・ティアラは、ジュエリーブランドのカルティエが、イギリスのエリザベス女王の母親であるエリザベス王妃のためににデザインしたものだ。ケイト・ミドルトンも、ウィリアム皇太子との結婚式で女王から借りて着けたんだよ。

強大な権力で支配する帝国

帝国というのは、いくつもの王国を支配する国だ。だから領土は広いし、支配者は王のなかの王だ。王よりもえらいので、皇帝とよばれることもある。

世界最初の帝国について知りたいって？ それなら、紀元前2300年頃のメソポタミア地方までさかのぼらなくちゃ。最初の帝国はアッカド帝国、つくったのはサルゴン王だ。

サルゴン王はこの地方にあった多くの国を征服して、ひとつの国に統一した。だから、アッカド帝国には、異なったことばを話し、異なった風俗・習慣をもつ、たくさんの民族がいた。かれらをうまく治めて、帝国を繁栄させるには、どうしたらいいだろう。

広い領土と多くの民族を支配する帝国では、違う文化をもつ人のことを考えた決まりがつくられ、守られる場合もあった。みんなに通じることばや文章の書き方、通貨や交易のしかたが生まれ、別の宗教にも自由が与えられることがあった。こうして人びとが自由に生きられるようにすると、その帝国が続く可能性は高くなるんだ。

　大英帝国では、首都ロンドンから遠く離れた領土を統治した。一方で、のちにスペインに滅ぼされたアステカ王国が３つの都市の同盟国家だったように、はっきりとした中心のなかった国もある。

　首都がなかったからこそ、征服を受けずに力を維持できた帝国もあるんだ。たとえば、古代ローマ帝国をやっつけたければローマを征服すればいいけれど、モンゴル帝国をやっつけたいときは、どこを攻撃したらいいかわからなかった。かれらは遊牧民で、つねに移動していたからね。

> 帝国のなかには、異なる文化に対して共通のルールを設け、文字や知識を普及させたものもある

14　権力って、なに？

歴史上の巨大帝国　面積ランキング

1. 大英帝国
3700万km²（1921年）

2. 大モンゴル帝国
2400万km²（1279年）

3. ロシア帝国
2370万km²（1790年頃）

4. ソビエト連邦
約2240万km²（1945年）

5. 元（中国の王朝）
1500万km²（1330年）

5. 清（中国の王朝）
1500万km²（1790年）

7. スペイン帝国
1475万km²（1748年）

8. 唐（中国の王朝）
1400万km²（669年）

1921年の大英帝国の領土（色のついたところ）

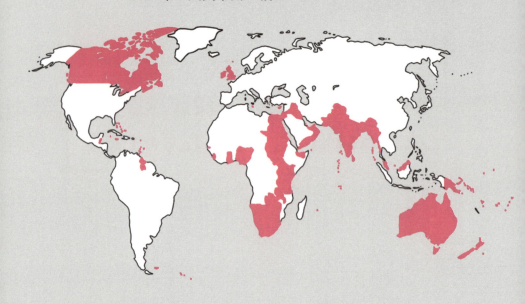

「力」のイメージを変えた人たち

黒人差別があからさまにあった時代のアメリカで、ローザ・パークス（1913〜2005年）は、白人に席をゆずらず、バスの座席に座りつづけた。

ネルソン・マンデラ（1918〜2013年）は、27年間刑務所に入れられたのち、南アフリカをアパルトヘイト撤廃に導いた。アパルトヘイトは有色人種への差別政策で、権利を制限するだけでなく住居などを白人から隔離した。

マハトマ・ガンディー（1869〜1948年）は、非暴力運動を展開し、大英帝国からインドを独立させた。

第一次世界大戦後、エグランタイン・ジェブ（1876〜1928年）は、世界の子どもの権利を守るため、妹とイギリスで「セーブ・ザ・チルドレン」を立ちあげた。

イギリスのミリセント・ギャレット・フォーセット（1847〜1929年）は、仲間の女性たちとともに、女性が教育を受ける権利、選挙に参加する権利のためにたたかった。

イギリス人のティム・バーナーズ＝リー（1955年〜）は、ウェブページを表示するしくみ、World Wide Webを発明した。

政治の3つのかたち

18世紀のフランスで活躍したモンテスキューという人物は、政治には3つのかたちがあると言った。共和政、君主政、そして専制政だ。

王や皇帝がいないしくみである共和政の基本にあるのは、徳、祖国への愛、平等なんだって。君主政は、権力をもつ君主につかえる臣民の名誉や個人的な野心にもとづいている。そして専制政は、民を恐怖で支配することにもとづいているそうだ。

この3つでは共和政がいちばんよいと、モンテスキューは言っている。また、彼は専制政治を防ぐために「三権分立」を提案した。司法権（人を裁く権力）、行政権（官僚や軍隊に命令する権力）、立法権（法律をつくる権力）を、それぞれ違う人にもたせるんだ。

この考えをはじめてとり入れた国は、アメリカ合衆国だった。そしていまでは、多くの国が三権分立のしくみをとり入れている。

きみの国の自由度は？

その国の政治と市民生活の自由度をはかる「民主主義指数」というものがある。毎年、世界167か国を対象に、60の調査項目について分析し、ランキングを作成する。各国に点数を割りあてていて（10点満点）、8点以上だと「完全な民主主義」、4点未満だと「独裁政治体制」に分類される。

1. ノルウェー　9.81
2. アイスランド　9.37
3. スウェーデン　9.26
4. ニュージーランド　9.25
11. 台湾　8.94
21. 日本　8.13
23. 韓国　8.01
25. アメリカ合衆国　7.92
27. イスラエル　7.84
29. イタリア　7.74
124. ロシア　3.31
145. アラブ首長国連邦　2.70
151. 中国　2.27
167. 北朝鮮　1.08

（2020年の指数）

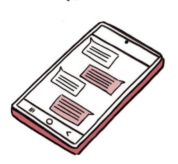

15

歴史を未来に
のこす方法は？

　机に向かっていくら考えても、未来のことはわからない。歴史を研究したからって、未来を予測できるわけでもない。でも、ひと昔前をふり返れば、それだけで、ぼくらの暮らしが大きく変わったことがわかる。

　そんなに昔とはいえないはずのおじいちゃんたちの時代だって、遠くの知り合いから手紙が届くには、国内でも数日、海外からの船便なら1か月以上必要だった。もっと昔なら、どこに行くにも歩くしかなかったけど、いまなら車でひとっ走りだ（渋滞さえなければね）。いまはエアコンなどの暖房機器があるから、まきを割って家の裏に積んでおかなくたっていいし、南国のくだものの味が知りたいからといって、蒸気船に乗って旅に出る必要はない。

　学校がイヤになったら、昔のことを思いながら、まわりを見てごらん。働くよりは学校へ行くほうがいいかなって思うはずだ。

　いまは、同性愛者の友だちだって、自分の性的指向を一生隠しとおさなくてよくなってきたし……。ほかにもあるよ。ポリオってい

う、命にかかわる子どもの病気は知ってる？　知らない!?　だとしたら、ポリオを撲滅状態にして、はるか昔の記憶にしてくれたワクチンのおかげだ。

　いまのぼくらは、数秒でかんたんにつくれるデジタルコンテンツを、ものすごい速さで大量に送って連絡をとっている。テキストとか、ボイスメッセージとか、動画とか。でも、この本で見てきたように、昔のようすを知るための情報は、のちの世に残った、かたちのあるモノから得られたんだ。建物とか、紙に残された文字とか絵とかね。

　いまの莫大なデジタル情報からは、いったい何が残るだろう。こうしたデジタルデータの集まりは、ネット上にクラウド（雲）を形

ざっくり、教育の歴史

紀元前3500年

シュメール人は、文字を発明するとすぐに、最初の学校「エドゥブバ（粘土板の家）」を開設した。

紀元前4世紀

ローマでは、家庭で教育がおこなわれていたが、しだいに学校に行ったり、家庭教師を雇ったりするようになった。女子も15歳まで勉強できたが、家事に役立つ科目だけだった。

紀元前6〜5世紀

古代ギリシアには、7歳から18歳までの優秀（かつ裕福）な子どもの通う学校があった。

成する。この数年でぼくらが送りあったものを集めた雲を。「雲」っていう名前から、なんとなく想像がつくんじゃないかな……。そう、これらは宙に消えてしまうんだ。それを知ったら、きみも紙にペンで何かを書きたくなるかもしれない。のちの世に残る可能性が少しでも高くなるように。

1000年頃
中世になると、教会が教育をになうようになり、1000年を過ぎると、最初の大学が誕生。法学や神学、医学が学ばれるようになる。

1872年
はじめて日本で、西欧をモデルにした近代的教育制度ができた。でも、授業料が必要で、学校の数も少なかったから、最初は全体の半分くらいの子どもしか通わなかった。

18世紀
フランス革命後、フランスでは最初の近代的公立学校が誕生。子どもの教育が義務化される。

18世紀前半
日本では江戸時代、庶民に読み書きを教える塾、寺子屋がたくさんできた（江戸だけで800校）。先生も多くは庶民だった。江戸の町人街では、3人に1人が女の先生で、女生徒も半分を占めた。

2020年
新型コロナウイルスが流行。学校ではオンライン授業が広まった。

ミュージアムをたくさんつくろう

　きみの歴史を安全に保管し、資料として残せる場所がある。
　ミュージアム、つまり博物館や美術館だ。ミュージアムでは、保存のスペシャリストに財産の管理が任されている。目的は、その豊かな財産をなるべく多くの人に見てもらうこと。ミュージアムをつくれば、みんなの歴史を自分のものにできる。つまり、歴史を使って自由に思いを表現できるんだ。そんな場所って、なかなかないよね。
　いまでは正統派のミュージアムばかりじゃなく、びっくりするようなものもある。たとえば、メキシコのカンクンには、海に沈めた彫刻を鑑賞できる「海底美術館（MUSA）」があるし、クロアチアのザグレブには、「失恋博物館」がある（恋の終わりに残ったものが集められている）。インドのニューデリーには「国際トイレ博物館」があるし、アイルランドには「妖精博物館」が、イタリアのボローニャには「ジェラート博物館」がある。どれも基本的なアイデアは同じで、ぼくらの過去と現在を残し、守ろうとしている。
　いまはもうなくなってしまったけど、エジプトの王、プトレマイオス2世が紀元前3世紀に設立した「アレクサンドリア図書館」に

トップシークレットの眠る書庫

　書庫というのは、重要な文書が保管される場所だ。地中にあったり、隠された場所にあったり、大量の警報機で守られていたりする。なかに入って調べものができる公的なものもある。
　トップシークレットを保管しているところもあるんだよ。そこには30年や50年、80年たたないと読むことのできない文書が眠っている。

は、49万巻の巻物が保管されていたという。天文台や、学者たちが議論するための建物が併設されていたらしい。

この図書館は３度も放火を受けた。最初は紀元前48年にユリウス・カエサルが、最後は紀元後642年にアラブ人が火を放った。なぜだと思う？　きっと、だれもが知識や情報を得られるようにしておくと、反抗的な考えが生まれるから。つまり、人びとが力をもつようになるからだ。権力者たちは、そう考えるとぞっとするんだろうね。

印刷というものがまだ発明されていなかった中世のヨーロッパでは、教会（聖職者）が知をひとりじめしていた。世界の知識を本に写しとっていたのも、聖職者たちだった。本にはきれいな細密画を添えたり、ページの端に模様を描いたりもしていたんだよ。

15世紀に入ると、一般の人たちもめずらしい品を保存したがるようになり、美術品や標本、自然科学の道具があふれかえる「ヴンダーカンマー（驚異の部屋）」とよばれる空間が誕生した。

世界10大ミュージアム

1）ルーヴル美術館
パリ（フランス）：7万2735㎡／展示作品数は3万5000点以上。

2）エルミタージュ美術館
サンクトペテルブルク（ロシア）：6万6842㎡／7つの建物に分かれていて、展示は350部屋、20kmにおよぶ。

3）中国国家博物館
北京（中国）：6万5000㎡／ふたつの博物館が合併して誕生。

4）メトロポリタン美術館
ニューヨーク（アメリカ）：5万8820㎡／収蔵作品数は200万点、セクションは19に分かれている。

5）バチカン美術館
バチカン市国：4万3000㎡／20世紀にわたる芸術と歴史にふれられる。システィナ礼拝堂の内部は壮観。

6）国立人類学博物館
メキシコ・シティ（メキシコ）：3万3000㎡／マヤやアステカといった古代文明の世界最大級の考古学コレクションが展示されている。

7）ヴィクトリア＆アルバート博物館
ロンドン（イギリス）：3万㎡／世界最大の装飾美術の博物館。

8）国立中央博物館
ソウル（韓国）：2万7090㎡／移転をくり返してきたが、2005年、龍山公園内に堂々オープン。

9）シカゴ美術館
シカゴ（アメリカ）：2万6000㎡／30万点のコレクションから、10以上の展示がかわるがわる公開されている。

10）東京国立博物館
東京（日本）：1万8567㎡／日本とアジアの古代美術を楽しめる。

当時は、芸術作品や、科学的な珍品、エキゾチックな動物など、なにもかもが驚異の対象だった。歴史的な発見の一部がミュージアムに展示され、多くの史料が書庫などに保管されるようになるには、18世紀の啓蒙主義の誕生を待たなくてはならない。

ミュージアムをつくるためには、裕福な人物の援助も欠かせなかった。たとえば、ウフィツィ美術館は、1737年、メディチ家によりトスカーナ大公国に寄贈された。大英博物館は、医者であり自然科学者だったスローン卿の希望により、国王ジョージ２世から資金をもらって開設された。ルーヴル美術館は、1793年にフランス革命後の法案で美術館となるまで、フランス国王シャルル５世によってつくられた王宮だったんだ。

博物館に展示されているもののひとつに、ロゼッタ＝ストーンがある。紀元前の古代エジプトの石碑で、1799年、ナポレオンによるエジプト遠征隊の隊長が砂漠で発見した。神聖文字という古代エジプトの象形文字を解読するための、歴史的に重要な史料だ。いまはロンドンの大英博物館にある。

きみは思うはずだ。「どうして、それがロンドンにあるの？」

どうやって答えを探せばいいかわかったら（そして、それをやる気になったなら）、この本は目的を果たしたということだ。

じゃあ、またね

　歴史は、昔あったことだけじゃなく、その出来事とぼくらがどうつながっているのかも教えてくれる。それこそが、過去の出来事を知る意味だ。きみがその新しい読み方に気づくたびに、過去は目の前によみがえってくる。

　そして、なぜ、こんなことが起きるのかという問いに答えをくれる。なぜ、人びとが怒っているのか、喜んでいるのか。なぜ、銅像を倒したいと願ったり、倒す決断をしたりするのか。

　歴史はみんなのものだから——きみのものでもあるし、ぼくのものでもあり、いろんな国のものでもある——何を語りつぎ、何を忘れるかは、ぼくらが選ぶことになる。忘れることにも意味があるんだよ。

　忘れてもいいこともあるけれど、二度とくり返さないために、覚えておかなきゃいけないこともある。

　人類は、全員がずっと優秀で、善人で、発明や発見ばかりしてきたわけじゃない。ぼくら人間はまちがいも犯したし、恐ろしいおこないもしてきた。

　でも、歴史は中立じゃないし、真実そのものではない。なぜ、どのようにしてそうなったのかという問いに対するひとつの答えなんだ。きみが日々いだいている疑問と同じだね。

　歴史は定番のゲームに似ている。ルールはわかりやすくてシンプルなのに、ときに思いもよらない驚きの結末が待ちうけている。

　最後に——。この本を読んでも歴史のテストの点数が悪かったら、

139

考えてみてほしい。
　点数が悪かったのは、テストの問題のせい？　それとも……、きみがちっとも試験勉強をしなかったせい？
　きみにはもう、何が原因で、どの仮定がまちがいだったのかを見きわめる力があるはずだ。

日本版監修者あとがき

「この本は、歴史の本なの？」「いろいろなエピソードが載っているけれど、いったいぜんたい、なんの話なの？」「歴史上の大事件についてくわしく書かれているわけでもないし、英雄や偉人の話もないじゃないか」と思う人がいるかもしれません。

この本は、ひと言でいえば「歴史的な考え方」について書かれたものです。

なんだか難しそうですね。そうなんです。だから、こういう本は、大学生向けに書かれることがほとんどです。それも、歴史を学ぼうとする大学生向けに。

たぶん、小学生くらいの、ほんとうに若い人たちのために、このようなことを書いた本は、まずありません（中学生、高校生向けにだってないでしょう）。だって、難しいことをわかりやすく書くのは、すごく難しいことだから。

でも、この『だれが歴史を書いてるの？』はその難しいことに挑戦して、なかなかうまくいっている。高度な内容を、やさしいことばで、身近な例を使いながら、しかも、歴史に関心のない人でも、気軽に読めるように書かれている！　こんな本はなかなか見つからないと思います。だから、日本版をみなさんにお届けできるのは、たいへん意味のあることだと思っています。みなさんが、この本を読んで、知らず知らずのうちに、歴史的な考え方を理解してくれることを願っています。

たとえば、この本のなかに「パパの通知表」を見つける話が出てきます。きみのお父さんやお母さんも昔は小学生でした。小学生のパパとママ？　理解できるけれど、想像するのは難しい。でも、きみと同じように小学生のときはあった。けれど、違いもあ

141

って、そのころはスマホもユーチューブもありませんでした。

　同じように、きみのおじいさん、おばあさんにも小学生のときはあった。赤いランドセルを背負って、小学校に通っていたおばあちゃんを思いうかべよう。ランドセルの色は違っても、きみと同じ小学生。でもそのころには、スマホどころじゃない。家にも電話はなかった。どうやって友だちと連絡をとっていたんだろう。電話だけじゃない。テレビも冷蔵庫も、エアコンもなかった。どんな暮らしだったんだろう……。

　そんな「なぜ？」から歴史は生まれる。おじいちゃん、おばあちゃんから小さいころの話を聞くだけで、りっぱな夏休みの自由研究ができあがります。これに「きみの物語と歴史」の家系図が結びつけば、それはりっぱな歴史書になる。

　著者は、この本に、そんな歴史的な考え方のヒントをたくさん散りばめています。

　ふだんはあまり意識していませんが、すべてのモノやコトには歴史があり、私たちはそのなかで生き、やがて私たち自身も歴史の一部になっていきます。この本を読んで、そんなことに思いを馳せてくれたなら、こんなにうれしいことはありません。

　最後に。イタリア人であるこの本の著者たちは、大の日本アニメ好き。『ベルばら』や『るろうに剣心』が出てきますが、これらはイタリア人向けの原作にはじめから書かれていたんです。日本版のためにつくりかえたのではありませんよ（念のため）。ただし、イタリア人にしかわからないエピソードを日本の読者向けにあらためた部分が、じつはあります。どこか、わかるかな？

高等学校教諭・「世界史講義録」管理人　浅野典夫

著

ピエルドメニコ・バッカラリオ

児童文学作家。1974年、イタリア、ピエモンテ州生まれ。著書は20か国以上の言語に翻訳され、全世界で200万部以上出版されている。小説のほか、ゲームブックから教育・道徳分野まで、手がけるジャンルは多岐にわたる。邦訳作品に、『ユリシーズ・ムーア』シリーズ（学研プラス）、『コミック密売人』（岩波書店）、『13歳までにやっておくべき50の冒険』（太郎次郎社エディタス）など。

フェデリーコ・タッディア

ジャーナリスト、放送作家、作家。1972年、ボローニャ生まれ。あらゆるテーマについて、子どもたちに伝わることばで物語ることを得意とする、教育の伝道者でもある。子ども向け無料テレビチャンネルで放送中の「放課後科学団」をはじめ、多彩なテレビ・ラジオ番組の構成・出演をこなす。P・バッカラリオとの共著に『世界を変えるための50の小さな革命』（太郎次郎社エディタス）がある。

監修　ブルーノ・マイダ

トリノ大学歴史学部准教授。1964年、トリノ生まれ。ピエモンテ州レジスタンス史・現代史研究所、アウシュヴィッツに新しいイタリアの記念碑を建設する委員会に所属。専門はイタリア現代史。とくに、ホロコースト（ナチス・ドイツによるユダヤ人虐殺）やレジスタンス（ファシズムに対する抵抗運動）、第二次世界大戦前後の子どもの暮らしについての著書が多く、代表作に『子どもたちのホロコースト』などがある。

絵　ミレッラ・マリアーニ

イラストレーター。1978年、イタリア、ロンバルディア州生まれ。幼いころから漫画や絵本を読んでは、どんな人が描いているんだろうと想像をふくらませていた。代表作に『ジャンニ・ロダーリの名作絵本』シリーズなど。みずからの子育て奮闘記を描いた漫画も好評。

日本版監修　浅野典夫（あさの・のりお）

高等学校教諭（地歴公民科）。大阪府立高校勤務。1960年、愛知県生まれ。小学6年生のとき、学級文庫にあった漫画、横山光輝『水滸伝』で中国の歴史に興味をもつ。以後、吉川英治『三国志』、井上靖『敦煌』などを読んでますます中国史にはまり、大学でも中国史を専攻。金岡新の筆名でWEBページ「世界史講義録」を開設し、授業で話した内容を公開している。著書に、『なぜ？がわかる世界史』（学研プラス）、『ものがたり宗教史』（ちくまプリマー新書）など。

訳　森敦子（もり・あつこ）

翻訳家、イタリア語講師。1985年、鹿児島県生まれ。イタリア語の書籍を翻訳しながら、オンライン中心の小さなイタリア語教室「ピエリア」を運営。モットーは「わくわく×イタリア語」。翻訳や授業をとおして読み手や聞き手の好奇心を刺激したいと奮闘中。訳書に、フランク＝ラポルト・アダムスキー著『腸がすべて』（東洋経済新報社）がある。

いざ！探Q ③
だれが歴史を書いてるの？
歴史をめぐる15の疑問

2022年8月5日 初版印刷
2022年9月5日 初版発行

著者　　　　ピエルドメニコ・バッカラリオ
　　　　　　フェデリーコ・タッディア
監修者　　　ブルーノ・マイダ
イラスト　　ミレッラ・マリアーニ

日本版監修者　浅野典夫
訳者　　　　森敦子
デザイン　　新藤岳史
編集担当　　漆谷伸人
発行所　　　株式会社太郎次郎社エディタス
　　　　　　東京都文京区本郷3-4-3-8F 〒113-0033
　　　　　　電話 03-3815-0605　FAX 03-3815-0698
　　　　　　http://www.tarojiro.co.jp

印刷・製本　大日本印刷

定価はカバーに表示してあります
ISBN978-4-8118-0673-0 C8020

Original title: Oggi è già ieri?
By Pierdomenico Baccalario • Federico Taddia with Bruno Maida
Illustrations by Mirella Mariani
© 2021 Editrice Il Castoro Srl viale Andrea Doria 7, 20124 Milano
www.editriceilcastoro.it info@editriceilcastoro.it
From an idea by Book on a Tree Ltd. www.bookonatree.com
Project management: Manlio Castagna (Book on a Tree),
Andreina Speciale (Editrice Il Castoro)
Editor: Maria Chiara Bettazzi
Editorial management: Alessandro Zontini
Collaboration on the text writing: Andrea Vico
Graphic design and layout by ChiaLab